En attendant bébé

Décoration, couture et petits cadeaux

EDITIONS
FLEURUS

Éditions Fleurus, 15-27 rue Moussorgski, 75018 Paris

Conception et direction d'ouvrage : Bellingham Media - Françoise Detay
Direction éditoriale : Christophe Savouré
Édition : Gaëlle Guilmard
Fabrication : Marie-Dominique Boyer, Catherine Maestrati
Conception graphique et mise en page : Sarbacane
Photographies : Jean-Luc Scotto
Stylisme : Franck Schmitt

© 2000 Groupe Fleurus-Mame, Paris
Dépôt légal : juin 2000
ISBN : 2-215-07058-7
N° d'édition : 93145
1re édition

Imprimé en France par Partenaires Fabrication (U.E.)

Sommaire

Oursons
très
câlins

Baptême gourmand

Pochette légère

1 Dans la tarlatane, découper un rectangle de 10 x 30 cm, le plier en deux dans la hauteur et recouper ensemble les petits côtés avec les ciseaux à cranter. Assembler les grands côtés puis retourner. Garnir la pochette de dragées.

2 Dans le papier calque, découper avec les ciseaux à cranter des rectangles de 2,5 x 5 cm. Au feutre blanc, y inscrire le nom et la date du baptême de l'enfant. Perforer un coin de l'étiquette et passer un petit morceau de ruban dans le trou. Fermer la pochette à l'aide du ruban.

Cadres sucrés

1 Dans le carton, découper des formes diverses de différentes tailles. Sur l'une des faces de chaque cadre, coller les perles argentées et les dragées, en les assemblant joliment. Coller une petite bande de gros-grain au dos des cadres.

2 Procéder de la même manière avec les sucres décoratifs et les grains de mimosa blanc.

Porte-nom

On peut aussi réaliser un porte-nom en collant des grains de mimosa sur une pince à linge en bois.

Y glisser un rectangle de calque sur lequel est inscrit le nom de l'enfant.

Fournitures

- tarlatane blanche
- ruban fin blanc de 0,5 cm de large
- gros-grain blanc et ivoire de 1 cm de large
- papier calque fort
- 1 feutre blanc moyen
- carton blanc de 2 mm d'épaisseur
- colle en stick
- perforeuse
- mimosa blanc (confiserie)
- perlage argent (confiserie)
- dragées blanches
- sucres décoratifs

Fournitures

- 2 pièces de différents piqués de coton blanc de 60 x 60 cm
- 60 x 60 cm de coton beige
- 20 cm de gros-grain beige de 1,5 cm de large
- bourre synthétique
- fil à coudre coordonné
- fil à broder coordonné
- pochoirs « lettre »
- peinture beige pour tissu
- brosse à pochoir
- raphia naturel

Tendres nounours

Préparation

Poser une feuille de calque pliée en deux et décalquer les demi-modèles proposés page 88. Découper puis déplier la feuille pour obtenir les modèles entiers. Agrandir selon les instructions.

Petit ours

1 Reporter le modèle de l'ours sur l'envers du tissu beige. Reporter cette forme ainsi que celle de la partie ventrale (agrandie) sur l'un des tissus blancs. Couper à 5 mm du tracé. Épingler endroit contre endroit puis coudre en laissant une ouverture d'environ 10 cm dans le bas. Retourner.

2 Garnir l'ours de bourre et refermer l'ouverture par une couture discrète. Épingler le ventre en intercalant le gros-grain en haut puis coudre en faisant un rentré. Broder les yeux et le museau au point lancé. Pour réaliser l'ourson, procéder de la même manière en inversant les tissus des dos et des faces.

Jolie ribambelle

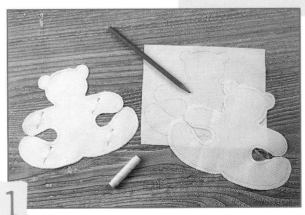

1 Reporter le modèle de l'ourson « ribambelle » sur l'envers des piqués de coton blanc autant de fois qu'il y a de lettres dans le prénom de l'enfant. Couper à 5 mm du tracé.

2 À l'aide du pochoir, peindre chaque lettre du prénom sur l'endroit du tissu. Laisser sécher puis assembler les pièces endroit contre endroit en laissant une ouverture. Retourner, rembourrer et refermer. Coudre les oursons les uns aux autres au niveau des pattes et suspendre la ribambelle avec du raphia.

Tour de lit douillet

Préparation

Poser une feuille de calque pliée en deux et décalquer les demi-modèles proposés pages 88 et 89. Découper puis déplier la feuille pour obtenir les modèles entiers. Agrandir selon les instructions.

1 Reporter les différents modèles d'ours décalqués et agrandis (ourson-hochet, ours, marionnette, tête d'ours) sur l'envers des tissus choisis. Découper chaque pièce à 5 mm du tracé.

2 Assembler toutes les pièces endroit contre endroit en laissant une ouverture de 5 cm et retourner. Rembourrer puis refermer. Pour l'ourson-hochet, insérer le grelot à l'intérieur, faire un petit rentré au centre et refermer. Coudre le museau et la patte du gros ourson en faisant un rentré au fur et à mesure.

3 Coudre deux bandes de gros-grain sur le tour de lit et y attacher l'ourson-hochet. Broder les yeux de la marionnette et coudre le pompon. Épingler et coudre le museau en faisant un rentré au fur et à mesure. Fixer deux croquets différents en bas. Relier au tour de lit avec un croquet. Pour finir, coudre une bande de gros-grain sur le tour de lit pour maintenir la marionnette en place.

4 Sur le tour de lit, appliquer le visage de la tête d'ours en faisant un rentré au fur et à mesure. Broder la bouche, coudre les yeux et le pompon. Assembler les oreilles et les coudre. Pour finir, appliquer les trois poches de piqué blanc (17 x 20 cm - 22,5 x 22,5 cm - 27 x 30 cm) sur le tour de lit et les agrémenter de gros-grain et de croquet. Fixer les oursons aux poches avec du croquet.

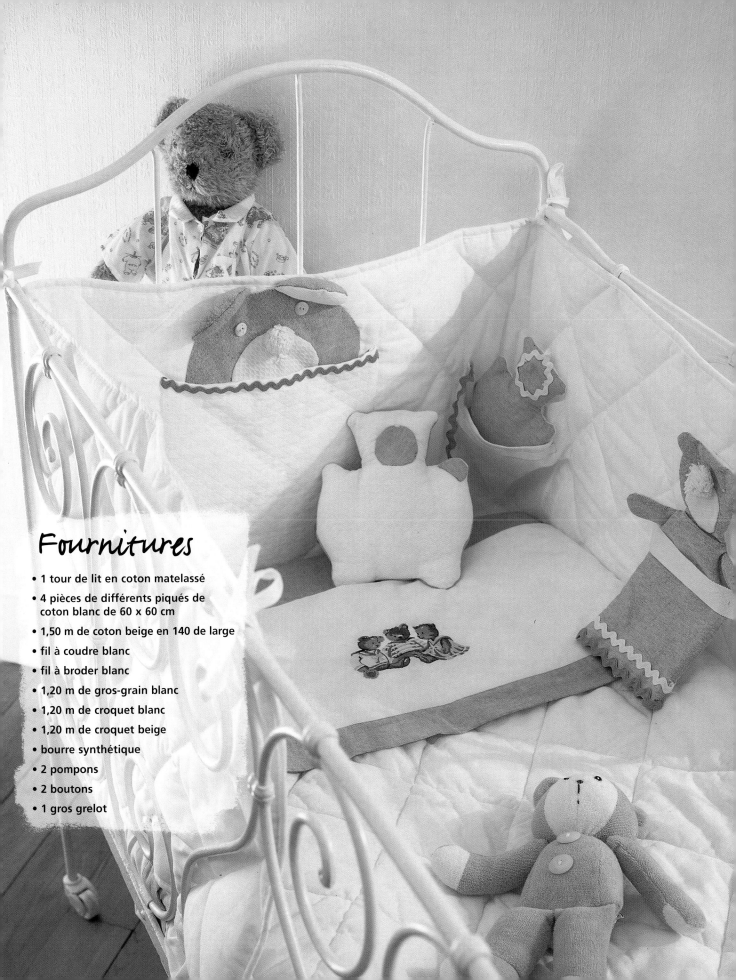

Fournitures

- 1 tour de lit en coton matelassé
- 4 pièces de différents piqués de coton blanc de 60 x 60 cm
- 1,50 m de coton beige en 140 de large
- fil à coudre blanc
- fil à broder blanc
- 1,20 m de gros-grain blanc
- 1,20 m de croquet blanc
- 1,20 m de croquet beige
- bourre synthétique
- 2 pompons
- 2 boutons
- 1 gros grelot

Fournitures

- 1 tour de lit en coton matelassé de 37,5 x 185 cm
- 30 x 10 cm de piqué de coton blanc
- 60 x 70 cm de coton beige
- fil à coudre coordonné
- 1,70 m de croquet beige de 1 cm de large
- 1 pompon
- 2 boutons
- bourre synthétique

Nid d'ange

Poser une feuille de calque pliée en deux et décalquer les demi-modèles proposés page 88. Découper puis déplier la feuille pour obtenir les modèles entiers. Agrandir selon les instructions.

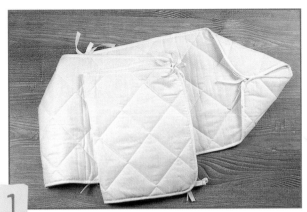

1 Plier le tour de lit pour former une capuche, une poche et un rabat, puis maintenir la forme obtenue en nouant les rubans ensemble.

2 Reporter deux fois le modèle des oreilles et quatre fois celui des pattes sur les tissus blancs et beiges en alternant les couleurs pour les oreilles. Découper chaque pièce à 5 mm du tracé.

3 Assembler les oreilles endroit contre endroit, sans oublier de faire une pince au centre, et retourner. Les garnir de bourre puis les coudre au tour de lit plié, au niveau de la capuche. Épingler les pattes en faisant un rentré au fur et à mesure. Les coudre en faisant un petit point discret.

4 Appliquer le croquet pour former le contour du museau. Faire de même pour les pattes inférieures. Pour finir, coudre le pompon pour figurer le nez puis les boutons pour les yeux.

Drôles de cintres

Poser une feuille de calque pliée en deux et décalquer les demi-modèles proposés pages 88 et 89. Découper puis déplier la feuille pour obtenir les modèles entiers. Agrandir selon les instructions.

Mini-housse

1 Reporter le modèle de la housse sur l'envers des tissus blanc et beige. Couper à 5 mm du tracé. Assembler les deux pièces endroit contre endroit, en laissant une ouverture pour le cintre, puis retourner.

2 Découper le museau dans l'autre tissu blanc. Le coudre à l'emplacement prévu, puis coudre le croquet écru tout autour. Coudre également les pompons et broder les yeux au point lancé.

Pochette petit ours

1 Pour confectionner la pochette, tracer sur l'envers des deux tissus blancs un rectangle de 35 x 52 cm. Couper à 5 mm du tracé. Reproduire au crayon la silhouette de l'ours sur l'endroit de l'un des rectangles. La reporter également sur le reste de piqué de coton et sur le tissu beige. Découper cette forme à 5 mm du tracé.

2 Assembler les deux rectangles endroit contre endroit en laissant une ouverture sur un petit côté et retourner. Ourler l'ouverture et coudre le croquet tout autour, ainsi qu'autour du tracé de l'ours. Broder le museau au point lancé. Assembler endroit contre endroit les deux pièces de tissu du petit ours, en laissant une ouverture de 5 cm sur la tête. Retourner, garnir de lavande et glisser la cordelette avant de refermer. Coudre le dernier pompon sur le ventre.

Fournitures

- 1 m de piqué de coton blanc en 140 de large
- 40 x 60 cm d'un autre piqué de coton blanc
- 50 x 80 cm de coton beige
- 2 m de croquet beige de 1 cm de large
- 20 cm de croquet écru de 1 cm de large
- 25 cm de cordelette beige
- fil à broder coordonné
- fil à coudre coordonné
- 9 pompons
- 1 sachet de lavande

Fournitures

- grillage à poule
- 1 carcasse d'abat-jour de 15 cm de haut, et de 7 cm et 15 cm de diamètre
- 1 pied de lampe en bois brut
- 1 douille
- 1 cordon électrique (avec prise et interrupteur)
- 1 ampoule (40 W maximum)
- papier calque
- peinture blanche mate
- 20 x 50 cm de piqué de coton blanc
- 15 x 50 cm de coton beige
- fil à coudre coordonné
- fil à broder coordonné
- 2 pompons
- 2 boutons
- 1 pince multifonctions

Lampe déguisée

Préparation

Poser une feuille de calque pliée en deux et décalquer les demi-modèles proposés page 89. Découper puis déplier la feuille pour obtenir les modèles entiers. Agrandir selon les instructions.

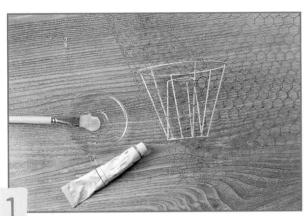

1 Appliquer le grillage sur la carcasse de l'abat-jour. Prévoir environ 1 cm de grillage en plus en haut et en bas pour le replier. Découper et fixer à l'aide de la pince en faisant attention de ne pas se blesser. Peindre le pied de lampe ainsi que le grillage et laisser sécher.

2 Reporter les formes du museau, des oreilles et du bonnet de nuit sur l'envers des tissus choisis, et couper à 5 mm du tracé. Couper la forme du museau avec les ciseaux à cranter.

3 Sur le museau, broder la bouche au point lancé. Coudre le pompon et fixer par quelques points le museau sur l'abat-jour. Terminer en cousant les boutons sur le grillage pour figurer les yeux.

4 Faire une pince au centre des oreilles puis assembler les pièces du bonnet et des oreilles endroit contre endroit. Retourner, refermer l'ouverture des oreilles en faisant un rentré. Ourler le bas du bonnet et fixer un pompon au sommet. Coudre l'ensemble sur l'abat-jour. Monter la lampe.

Veste grand froid

Taille 3 à 6 mois (6 à 9 mois), voir mesures page 87.

voir mesures page 87.

Points employés
Point mousse : tous les rangs à l'endroit.
Point de riz : 1er rang = 1 maille endroit - 1 maille envers.
2e rang = Contrarier les mailles. Tricoter les mailles à l'endroit sur les mailles à l'envers et les mailles à l'envers sur les mailles à l'endroit. Faire de même sur tous les rangs.

Échantillon
10 cm x 10 cm
Aiguilles n° 5,5 - Point de riz = environ 15 mailles et 28 rangs.
Utiliser des aiguilles plus fines ou plus grosses si l'échantillon n'est pas conforme.

POMPON

Découper deux cercles en carton rigide de même diamètre (à la taille du pompon désiré). Avec un cutter, découper un petit cercle au centre. Préparer une petite pelote de laine à la taille des trous des anneaux. Superposer les deux disques et enrouler régulièrement la laine en serrant très fort jusqu'à ce que l'on ne puisse plus passer de laine. À l'aide de ciseaux pointus, couper la laine sur la tranche des disques. Écarter légèrement les deux anneaux et nouer solidement un brin de laine au milieu. Retirer les anneaux et étoffer le pompon.

DOS

Monter 47 (49) mailles sur les aiguilles n° 5. Tricoter 8 rangs au point mousse. Prendre les aiguilles n° 5,5 et continuer droit au point de riz.
À 14 (16) cm de hauteur totale, rabattre 3 mailles de chaque côté pour l'emmanchure. Il reste 41 (43) mailles. Continuer droit pendant 12 (13) cm.
À 26 (29) cm de hauteur totale, rabattre toutes les mailles en une seule fois. Marquer les épaules et l'encolure d'un fil de couleur :
Encolure = 15 mailles / Épaules = 13 (14) mailles.

DEVANT GAUCHE

Monter 34 (36) mailles sur les aiguilles n° 5. Tricoter 8 rangs au point mousse. Prendre les aiguilles n° 5,5 et continuer droit au point de riz, sauf les 6 dernières mailles qui seront toujours tricotées au point mousse, pour la bordure.
À 14 (16) cm de hauteur totale, rabattre à droite 3 mailles pour l'emmanchure.
À 21 (23) cm de hauteur totale, mettre les 6 mailles de la bordure en attente et en même temps, diminuer pour l'encolure : une fois 6 mailles puis tous les 2 rangs une fois 3 mailles, une fois 2 mailles et une fois 1 maille (une fois 6 mailles, puis tous les 2 rangs : une fois 3 mailles, une fois 2 mailles et deux fois 1 maille).

À 26 (29) cm de hauteur totale, rabattre les 13 (14) mailles de l'épaule en une seule fois.

DEVANT DROIT

Faire le même travail que le devant gauche en sens inverse et en réalisant trois boutonnières sur la bordure : la première boutonnière à 11 cm du bas et la dernière doit se trouver sur les 6 mailles de la bordure en attente.

BOUTONNIÈRES : à 2 mailles du bord, rabattre 2 mailles que l'on remonte au rang suivant.

MANCHES

Monter 35 (37) mailles avec les aiguilles n° 5,5. Tricoter droit au point de riz.
À 22 (23) cm de hauteur totale, arrêter toutes les mailles en une seule fois souplement.

ASSEMBLAGE

Faire les coutures des côtés et des épaules. Fermer les manches et les monter. Faire des coutures plates en prenant 1 maille de chaque côté en vis-à-vis, sur l'envers.

ENCOLURE

Sur les aiguilles n° 5, reprendre les 6 mailles en attente du devant droit, puis relever environ 49 (53) mailles sur le devant droit, le dos et le devant gauche, puis les 6 mailles en attente du devant gauche.
Tricoter 6 rangs au point mousse en réservant au 3e rang une boutonnière de 1 maille à l'extrémité du devant gauche (bouton intérieur).
Sur le 7e rang (envers du travail) arrêter toutes les mailles.

FINITIONS

Coudre le bouton intérieur en face de la boutonnière.
Faire les pompons et les coudre.
Faire un revers aux manches.
Repasser légèrement à la vapeur.

18

Fournitures

VESTE GRAND FROID
- 8 pelotes de laine
- aiguilles n° 5 et n° 5,5
- carton rigide
- 1 bouton

MOUFLES
- 2 pelotes de laine marron
- 1 pelote des coloris suivants :
  rouge - écru - beige - gris anthracite
- aiguilles n° 3 et n° 3,5
- carton rigide
- 1 fine cordelière (à faire soi-même)

BONNET-ÉCHARPE
- 3 pelotes de laine
- aiguilles n° 4
- carton rigide

Moufles

Taille 3 à 6 mois (6 à 9 mois)

Points employés

Côtes 1/1 : 1er rang = 1 maille endroit - 1 maille envers.
2e rang et les rangs suivants = tricoter les mailles comme elles se présentent : endroit sur endroit et envers sur envers.

Point de riz : 1er rang = 1 maille endroit - 1 maille envers.
2e rang = Contrarier les mailles. Tricoter les mailles à l'endroit sur les mailles à l'envers et les mailles à l'envers sur les mailles à l'endroit. Faire de même sur tous les rangs.

RÉALISATION

Monter 35 mailles sur les aiguilles n° 3. Faire 39 rangs de côtes 1/1. Répartir 7 (5) diminutions sur le 39e rang. Il reste 28 (30) mailles.
Prendre les aiguilles n° 3,5 et continuer au point de riz. À 12 (13) cm de hauteur totale, faire les rayures suivantes :

Coloris écru = 2 rangs de point mousse

Coloris marron = 1 rang à l'endroit
1 rang point de riz

Coloris rouge = 2 rangs de point mousse

Coloris marron = 1 rang à l'endroit
1 rang point de riz

Coloris beige = 2 rangs de point mousse

Coloris marron = 1 rang à l'endroit
1 rang point de riz

Coloris gris = 2 rangs de point mousse

Coloris marron = 1 rang à l'endroit

Continuer au point de riz (coloris marron).
À 17 (18) cm de hauteur totale, partager le travail en deux et travailler séparément sur ces 14 (15) mailles, en diminuant de chaque côté, à 1 maille du bord, 1 maille tous les 2 rangs et ce, quatre fois.
Il reste 6 (7) mailles.
Faire le second côté identique.
Faire la couture des moufles et glisser une fine cordelière autour du poignet, sur le 39e rang de côtes.
Faire les quatre pompons (voir explication page 18). Fixer un pompon à chaque extrémité. Faire un revers aux poignets.

Bonnet-écharpe

Taille 3 à 6 mois (6 à 9 mois)

Points employés

Point mousse : tous les rangs à l'endroit.
Point de riz : 1er rang = 1 maille endroit - 1 maille envers.
2e rang = Contrarier les mailles. Tricoter les mailles à l'endroit sur les mailles à l'envers et les mailles à l'envers sur les mailles à l'endroit. Faire de même sur tous les rangs.

Échantillon

10 cm x 10 cm
Aiguilles n° 4 - Point de riz = environ 24 mailles et 40 rangs.
Utiliser des aiguilles plus fines ou plus grosses si l'échantillon n'est pas conforme.

BONNET

Monter 78 (83) mailles. Tricoter 8 rangs au point mousse. Continuer droit au point de riz. À 8 (10) cm de hauteur totale, faire les diminutions suivantes :

3 à 6 mois

Rang 1 : 3 mailles - 3 mailles ensemble - 12 mailles - 3 mailles ensemble - 12 mailles - 3 mailles ensemble - 12 mailles - 3 mailles ensemble - 12 mailles - 3 mailles ensemble - 12 mailles.

Rang 2 et tous les rangs pairs : tricoter au point de riz.

Rang 3 : 3 mailles - 3 mailles ensemble - 10 mailles - 3 mailles ensemble - 10 mailles - 3 mailles ensemble - 10 mailles - 3 mailles ensemble - 10 mailles - 3 mailles ensemble - 10 mailles.

Rang 5 : 3 mailles - 3 mailles ensemble - 8 mailles - 3 mailles ensemble - 8 mailles - 3 mailles ensemble - 8 mailles - 3 mailles ensemble - 8 mailles - 3 mailles ensemble - 8 mailles.

Rang 7 : 3 mailles - 3 mailles ensemble - 6 mailles - 3 mailles ensemble - 6 mailles - 3 mailles ensemble - 6 mailles - 3 mailles ensemble - 6 mailles - 3 mailles ensemble - 6 mailles.

Rang 9 : 3 mailles - 3 mailles ensemble - 4 mailles - 3 mailles ensemble - 4 mailles - 3 mailles ensemble - 4 mailles - 3 mailles ensemble - 4 mailles - 3 mailles ensemble - 4 mailles.

Rang 11 : 3 mailles - 3 mailles ensemble - 2 mailles - 3 mailles ensemble - 2 mailles - 3 mailles ensemble - 2 mailles - 3 mailles ensemble - 2 mailles - 3 mailles ensemble - 2 mailles.
Il reste 18 mailles.

Rang 13 : tricoter les mailles deux par deux.

Rang 14 : tricoter encore une fois les mailles deux par deux. Passer la laine dans les mailles restantes.
Fermer le bonnet par une couture plate (coudre maille par maille en vis-à-vis, sur l'envers).

6 à 9 mois

Rang 1 : 3 mailles - 3 mailles ensemble - 13 mailles - 3 mailles ensemble - 13 mailles - 3 mailles ensemble - 13 mailles - 3 mailles ensemble - 13 mailles - 3 mailles ensemble - 13 mailles.

Rang 2 et tous les rangs pairs : tricoter au point de riz.

Rang 3 : 3 mailles - 3 mailles ensemble - 11 mailles - 3 mailles ensemble - 11 mailles - 3 mailles ensemble - 11 mailles - 3 mailles ensemble - 11 mailles - 3 mailles ensemble - 11 mailles.

Rang 5 : 3 mailles - 3 mailles ensemble - 9 mailles - 3 mailles ensemble - 9 mailles - 3 mailles ensemble - 9 mailles - 3 mailles ensemble - 9 mailles - 3 mailles ensemble - 9 mailles.

Rang 7 : 3 mailles - 3 mailles ensemble - 7 mailles - 3 mailles ensemble - 7 mailles - 3 mailles ensemble - 7 mailles - 3 mailles ensemble - 7 mailles - 3 mailles ensemble - 7 mailles.

Rang 9 : 3 mailles - 3 mailles ensemble - 5 mailles - 3 mailles ensemble - 5 mailles - 3 mailles ensemble - 5 mailles - 3 mailles ensemble - 5 mailles - 3 mailles ensemble - 5 mailles.

Rang 11 : 3 mailles - 3 mailles ensemble - 3 mailles - 3 mailles ensemble - 3 mailles - 3 mailles ensemble - 3 mailles - 3 mailles ensemble - 3 mailles - 3 mailles ensemble - 3 mailles.

Rang 13 : 3 mailles - 3 mailles ensemble - 1 maille - 3 mailles ensemble - 1 maille - 3 mailles ensemble - 1 maille - 3 mailles ensemble - 1 maille - 3 mailles ensemble - 1 maille.
Il reste 13 mailles.

Rang 15 : Tricoter les mailles deux par deux. Passer la laine dans les mailles restantes. Fermer le bonnet par une couture plate (coudre maille par maille en vis-à-vis, sur l'envers).

OREILLES

Monter 19 mailles sur les aiguilles n° 4. Tricoter au point de riz. À 3 cm de hauteur, tricoter, à chaque extrémité, 3 mailles ensemble à 1 maille du bord, tous les 2 rangs et ce, trois fois.
Arrêter les 7 mailles restantes.
Coudre les oreilles sur le bonnet. Les placer à 3 cm du fond du bonnet. Coudre le côté des diminutions et des 7 mailles le long du bonnet.

ÉCHARPE

CÔTÉ DROIT : à partir de la couture du bonnet, relever 29 (31) mailles sur le bord. Tricoter trois rangs au point de riz. À partir du 4e rang, diminuer à droite, à 1 maille du bord, 1 maille tous les 2 rangs (dix fois). Il reste 19 (21) mailles. Continuer droit au point de riz.
À 23 (26) cm de hauteur totale d'écharpe, tricoter les mailles 2 par 2. Il reste 10 (11) mailles. Les passer sur la première maille de l'aiguille, puis passer la laine dans la maille restante. Serrer et arrêter.

Faire le côté gauche en vis-à-vis.
Faire les deux pompons (voir explication page 18) puis les coudre à chaque extrémité.
Repasser légèrement à la vapeur.

Pull jacquard

Taille 3 à 6 mois (6 à 9 mois), voir mesures page 87.

Point jersey : 1er rang = à l'endroit.

2e rang = à l'envers. Répéter toujours ces 2 rangs.

Point mousse : tous les rangs à l'endroit.

Point de riz : 1er rang = 1 maille endroit - 1 maille envers.

2e rang = Contrarier les mailles. Tricoter les mailles à l'endroit sur les mailles à l'envers et les mailles à l'envers sur les mailles à l'endroit. Faire de même sur tous les rangs.

Point fantaisie : jersey endroit (voir grille 1, page 24).

Motif en jacquard (voir grille 2, page 24).

10 cm x 10 cm

Aiguilles n° 3,5 - Point de riz = environ 22 mailles et 44 rangs.

Utiliser des aiguilles plus fines ou plus grosses si l'échantillon n'est pas conforme.

Dos

Monter 55 (57) mailles sur les aiguilles n° 3. Tricoter 8 (10) rangs au point mousse. Prendre les aiguilles n° 3,5 et continuer au point de riz.

À 12 (13) cm de hauteur totale, diminuer 2 mailles de chaque côté pour l'emmanchure. Il reste 51 (53) mailles. Continuer au point de riz.

À 22 (24) cm de hauteur totale, pour l'encolure du dos, prendre les aiguilles n° 3 et tricoter sur les 51 (53) mailles, 7 rangs au point mousse et arrêter toutes les mailles au 8e rang, à l'endroit, sur l'envers du travail.

Devant

Monter 55 (57) mailles sur les aiguilles n° 3. Tricoter 8 (10) rangs au point mousse. Prendre les aiguilles n° 3,5 et tricoter au point de riz.

À 4 cm de hauteur totale, continuer au point fantaisie de la manière suivante (voir grille 1, page 24) :

1 : semis écru puis 2 rangs de point mousse gris.

2 : semis gris puis 2 rangs de point mousse beige.

3 : semis beige puis 2 rangs de point mousse rouge.

4 : semis rouge puis 2 rangs de point mousse écru.

Réalisation avec jacquard : reprendre le point de riz pendant encore 2 cm. Tricoter selon la grille 2, page 24. Après le motif, reprendre normalement toutes les mailles au point de riz.

Réalisation sans jacquard : reprendre après le point fantaisie toutes les mailles au point de riz.

Simultanément, à 12 (13) cm de hauteur totale, diminuer 2 mailles de chaque côté pour l'emmanchure. Il reste 51 (53) mailles.

À 21 (22) cm de hauteur totale diminuer, pour l'encolure, les 5 mailles centrales et continuer chaque côté séparément en diminuant côté encolure : une fois 2 mailles et six fois 1 maille, tous les 2 rangs (une fois 3 mailles et six fois 1 maille tous les 2 rangs). Il reste 14 (16) mailles pour l'épaule.

À 22 (24) cm de hauteur totale, garder les mailles en attente.

Manches

Sur les aiguilles n° 3, monter 39 (41) mailles. Tricoter 10 (12) rangs de point mousse. Prendre les aiguilles n° 3,5 et continuer au point de riz en augmentant à 1 maille du bord, 1 maille de chaque côté tous les 10 rangs six (sept) fois. On a 51 (55) mailles.

À 17 (18) cm de hauteur totale, arrêter souplement les mailles comme elles se présentent.

Encolure devant

Sur les aiguilles n° 3, reprendre les mailles de l'épaule gauche en attente puis, à la suite, relever environ 21 (23) mailles sur l'encolure, puis les mailles de l'épaule droite. Tricoter 7 rangs au point mousse, en réservant au 3e rang deux boutonnières sur chaque épaule : la première à chaque extrémité à 4 mailles du bord et la seconde à 3 cm de la première.

Boutonnières : côté gauche (1 jeté - 2 mailles ensemble) - côté droit (2 mailles ensemble - 1 jeté).

Arrêter toutes les mailles au 8e rang, à l'endroit, sur l'envers du travail.

Assemblage

Superposer l'épaule du devant sur l'épaule du dos sans faire la couture, maintenir avec des épingles et monter la manche. Faire de même pour la seconde manche. Fermer les manches et les côtés par des coutures plates.

Coudre les deux boutons sur chaque épaule du devant.

Repasser légèrement à la vapeur.

Fournitures

PULL JACQUARD

• 3 pelotes de laine marron

• 1 pelote des coloris suivants :
  rouge - écru - beige - gris anthracite

• aiguilles n° 3 et n° 3,5

• 4 boutons beiges

PETIT PANTALON

• 3 (4) pelotes de laine marron

• aiguilles n° 3,5 et n° 4

• 35 cm d'élastique souple (environ)

Point fantaisie et jacquard

Le point fantaisie

X = écru - beige

X = gris - rouge

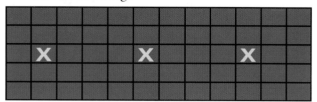

Commencer par la dernière ligne et remonter : soit tricoter 2 rangs au point jersey marron, puis 1 rang avec le semis de couleur, puis 2 rangs au point jersey marron (tricoter ensuite 2 rangs au point mousse de la couleur définie page 22).

GRILLE 2 Les motifs en jacquard

Ces grilles doivent être tricotées entièrement en jersey endroit.

Tricoter en positionnant la grille au milieu de l'ouvrage, et commencer sur l'endroit. La grille se lit de droite à gauche pour les rangs impairs et de gauche à droite pour les rangs pairs. Commencer par la dernière ligne et remonter. Le tricot terminé, prendre une aiguille à laine et enfiler de la laine gris anthracite. Broder les yeux au point de nœud (voir explications page 86). Broder le nez de l'ourson au point de nœud et les moustaches au point avant. Broder la bouche de l'oursonne au point avant.

Ours

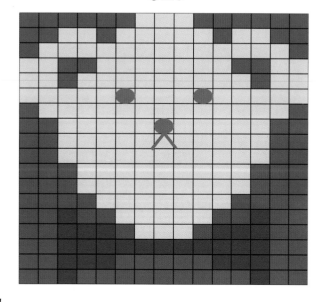

Oursonne

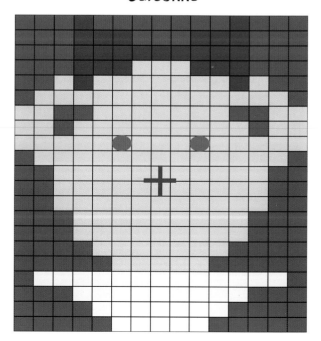

Petit pantalon

Taille 3 à 6 mois (6 à 9 mois), voir mesures page 87.

voir mesures page 87.

Points employés

Côtes 1/1 : 1er rang = 1 maille endroit - 1 maille envers
2e rang et tous les rangs suivants = tricoter
les mailles comme elles se présentent : endroit
sur endroit et envers sur envers.

Point mousse : tous les rangs à l'endroit.

Point de riz : 1er rang = 1 maille endroit - 1 maille envers
2e rang = Contrarier les mailles. Tricoter les mailles
à l'endroit sur les mailles à l'envers et les mailles
à l'envers sur les mailles à l'endroit. Faire de même
sur tous les rangs.

Échantillon

10 cm x 10 cm
Aiguilles n° 4 - Point de riz = environ 14 mailles et 40 rangs.
Utiliser des aiguilles plus fines ou plus grosses si l'échantillon n'est pas conforme.

Dos

PIED : Commencer par la semelle. Monter 8 mailles sur les aiguilles n° 4. Tricoter 2 rangs au point mousse. Continuer au point mousse en augmentant à 1 maille du bord, 1 maille de chaque côté, tous les 2 rangs - 3 fois. On a 14 mailles.
Tricoter droit toujours au point mousse.
À 8 (9) cm de hauteur totale, rabattre 1 maille de chaque côté, à 1 maille du bord tous les 2 rangs deux fois. Il reste 10 mailles.

JAMBE : Continuer sur les mailles de la semelle. Augmenter 8 (10) mailles sur le premier rang de la jambe en tricotant deux fois 8 (10) mailles de la semelle (tricoter la maille en prenant le fil derrière – ne pas la laisser tomber – et la tricoter en prenant le fil devant). On a 18 (20) mailles.
Tricoter 9 rangs de côtes 1/1. Continuer au point de riz en augmentant sur le premier rang 5 (5) mailles. On a 23 (25) mailles.
Continuer au point de riz en augmentant à 1 maille du bord, 1 maille de chaque côté, deux fois tous les 4 cm (deux fois tous les 5 cm). On a 27 (29) mailles.
À 13 (15) cm au-dessus des côtes du bas de la jambe, laisser en attente. Faire l'autre pied et jambe identiques.
Réunir sur la même aiguille les deux jambes, en intercalant 5 mailles au milieu pour l'entrejambe.
On a 59 (63) mailles. Continuer au point de riz, sauf les 5 mailles, qui sont tricotées au point mousse. Tricoter 2 rangs. Puis diminuer 1 maille de chaque côté de l'entrejambe, tous les 2 rangs deux fois. Il reste 1 maille pour l'entrejambe.

Continuer sur ces 55 (59) mailles au point de riz.
À 20 (22) cm au-dessus des côtes, diminuer à 1 maille du bord, 1 maille de chaque côté deux fois, tous les 4 (5) cm. On a 51 (55) mailles. Continuer au point de riz.
À 29 (32) cm au-dessus des côtes de la cheville, prendre les aiguilles n° 3,5. Tricoter 10 rangs de côtes 1/1 - 1 rang à l'endroit (pour la pliure de l'ourlet) - puis 8 rangs de côtes 1/1.
Arrêter les mailles souplement, comme elles se présentent.

Devant

PIED : Sur les aiguilles n° 4, monter 7 mailles. Tricoter 2 rangs au point de riz, puis augmenter à 1 maille du bord, 1 maille de chaque côté tous les 2 rangs trois fois. On a 13 mailles. Continuer au point de riz.
À 8 (8,5) cm de hauteur totale, sur l'endroit, tricoter 1 rang à l'endroit en augmentant 5 (7) mailles. On a 18 (20) mailles.
Tricoter 9 rangs de côtes 1/1 et continuer en suivant exactement les mêmes explications que pour le dos.

Assemblage

Assembler le dos et le devant par les coutures des côtés. Faire des coutures plates en prenant une maille de chaque côté en vis-à-vis, sur l'envers.
Plier l'ourlet et le coudre à points glissés, souplement, en laissant 5 mm ouvert sur le côté.
Glisser l'élastique et le coudre.
Repasser légèrement à la vapeur.

campagne
toute
douce

- Paravent champêtre
- Tapis d'éveil moelleux
- Mini-armoire
- Commode aux tulipes
- Petite robe et son bloomer
- Barboteuse légère
- Cardigan printanier

Paravent champêtre

Préparation

Préparer les panneaux : les enduire d'une peinture d'apprêt. Laisser sécher complètement avant de poncer. Bien nettoyer. Agrandir les différents modèles : lapin assis, tête de lapin, buisson, cœur, fleur, etc. (voir page 90).
Les reporter sur le plastique par transparence et évider le centre des motifs au cutter pour faire les pochoirs.

1 Peindre les trois panneaux du paravent en blanc. Passer deux couches et laisser sécher 30 mn. Repérer l'emplacement et les couleurs des motifs, ou bien créer votre propre décor en plaçant les éléments à votre guise.

2 En bas du paravent, fixer le pochoir figurant les buissons avec du Scotch. Appliquer la gouache verte en tamponnant doucement avec la brosse à pochoir. Ne pas mettre trop de peinture sur la brosse.

3 Procéder de la même façon pour les pochoirs lapin, fleur, et cœur. Prendre soin de laver les pochoirs à chaque changement de couleur. Finaliser le décor au pinceau fin. Laisser sécher 30 mn.

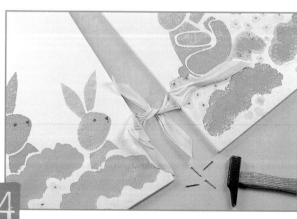

4 Couper des rubans de 20 cm de long. Les fixer en les clouant par le centre sur le chant des différents panneaux du paravent. Pour finir, les nouer ensemble pour réunir les trois pans du paravent.

Fournitures

- 3 panneaux de bois
- peinture d'apprêt
- gouache : rouge, bleu, vert, jaune, et blanc (pour le fond)
- 1 gros pinceau et 1 pinceau fin
- 1 petite brosse à pochoir
- 1 feuille de plastique rigide ou de Rhodoïd
- 10 clous
- 2 m de ruban de 2 cm de large

Fournitures

- 30 cm de coton de couleur pastel en 140 de large (jaune, orange, blanc, bleu et rose)
- chutes de coton (jaune, orange, bleu et rose)
- chutes de vichy de couleur (orange, bleu, jaune et rose)
- 60 cm de vichy jaune à petits carreaux en 150 de large
- 1,20 m de vichy jaune à carreaux moyens en 150 de large
- 1 carré de coton vert de 1 m de côté
- 2,60 m de molleton
- bourre synthétique
- 1 m de toile thermocollante
- 2 m de ruban vichy vert
- 4 petits grelots
- 4 boutons de velours jaune, orange, rouge et 6 de velours bleu
- Velcro
- colle pour textile
- papier calque

Tapis d'éveil moelleux

1 Agrandir et décalquer le modèle des fleurs (voir page 91). Le reproduire trois fois sur chaque chute de coton pliée en deux endroit contre endroit. Piquer sur le tracé en laissant une ouverture. Découper, cranter les angles et retourner. Bourrer chaque fleur et fermer par une couture à points glissés. Coudre les boutons au centre des fleurs. Décalquer les patrons des ailes du poussin, de la patte, de la queue et des oreilles du lapin (voir page 91).

2 Reproduire les ailes, patte, queue et oreilles sur les chutes de vichy pliées en deux endroit contre endroit. Piquer sur le tracé, découper et retourner. Doubler chaque pièce de molleton et refermer par une couture à points glissés l'aile avant et la patte. Doubler de toile thermocollante les cotons pastel et les chutes de coton, repasser, et reproduire les autres formes (poussins, becs, lapin, page 91). Découper chaque pièce de tissu et les coller sur le carré de coton vert. Autour de chaque animal, faire une piqûre au point de bourdon.

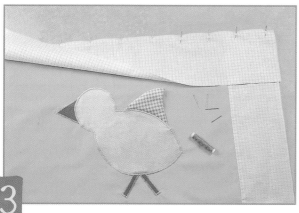

3 Dans le vichy jaune à petits carreaux, couper quatre bandes de 11 x 112 cm. Épingler la première bande, endroit contre endroit, sur l'un des bords du carré vert. Piquer la bande à 5 mm du bord et la rabattre. Répéter l'opération avec les autres bandes. Dans le vichy à carreaux moyens, couper un carré de 120 cm de côté. Assembler les deux carrés endroit contre endroit en laissant une ouverture de 50 cm.

4 Retourner le tapis. Coudre l'aile avant du poussin, la patte du lapin et les boutons des yeux. Glisser deux carrés de molleton de 120 cm de côté à l'intérieur du tapis. Refermer le tapis à points glissés. Coudre 50 cm de ruban et les grelots au dos de quatre fleurs. Coudre le Velcro au dos des fleurs et sur le tapis. Coudre les dernières fleurs sur le tapis.

Mini-armoire

1 Diluer de la peinture blanche et peindre grossièrement l'intérieur et l'extérieur de la caisse en bois. Laisser sécher 15 mn.

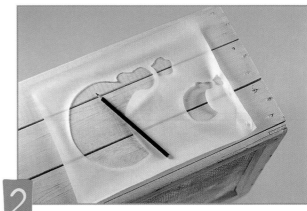

2 Agrandir le modèle de la poule (voir page 90). Le reporter sur la feuille de calque puis évider la forme au cutter pour réaliser un pochoir.

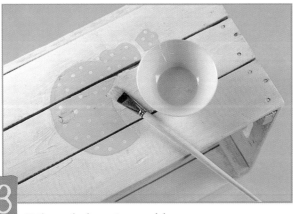

3 Diluer de la peinture bleue avec un peu d'eau. Faire de même avec la peinture rose. À l'aide du pochoir, tracer le contour des poules. Retirer le pochoir et peindre les motifs à main levée. Reporter le modèle sur toute la caisse. Laisser sécher au moins 15 mn, puis peindre les pois avec de la peinture blanche. Visser les crochets à l'arrière de la caisse.

4 Couper le ruban écossais en deux. Découper une pièce de tarlatane ainsi qu'une pièce de vichy de la dimension de la caisse. Les fixer, superposées, au sommet de l'armoire à l'aide des punaises sans oublier d'intercaler les rubans de chaque côté. Rouler l'ensemble pour remonter le rideau et le maintenir en nouant les rubans.

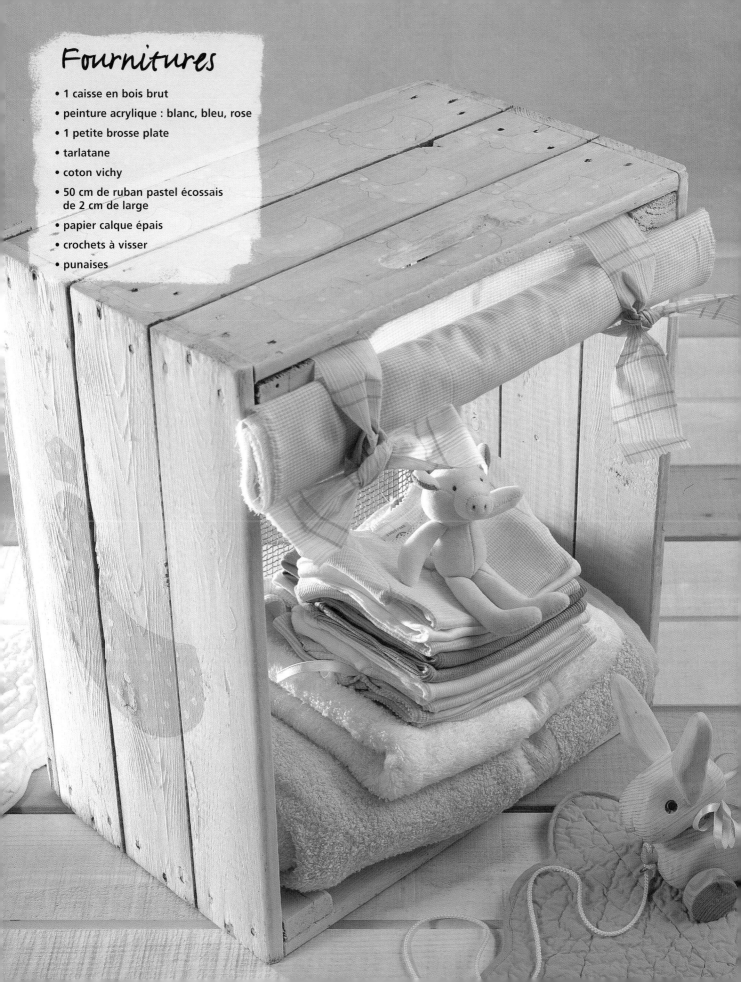

Fournitures

- 1 caisse en bois brut
- peinture acrylique : blanc, bleu, rose
- 1 petite brosse plate
- tarlatane
- coton vichy
- 50 cm de ruban pastel écossais de 2 cm de large
- papier calque épais
- crochets à visser
- punaises

Fournitures

- **1 petit meuble de rangement en bois brut**
- peinture acrylique mate : blanc, bleu, jaune, rose, vert
- **1 éponge naturelle rectangulaire**
- **1 rouleau mousse de 2 cm de large**
- **2 petites brosses à pochoir**
- **1 feuille de Rhodoïd ou de plastique rigide**
- papier calque
- **cire liquide incolore**

Commode aux tulipes

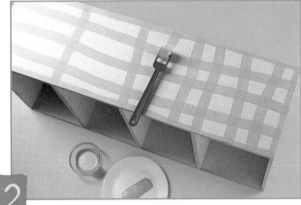

1 Verser un peu de peinture bleue dans la peinture blanche pour obtenir un mélange très clair. Diluer avec de l'eau. Imprégner l'éponge de peinture et l'appliquer sur la commode dans le sens des fibres. Passer deux ou trois couches en laissant sécher au moins 15 mn entre chaque couche.

2 Dans le reste de peinture bleutée, ajouter du bleu. Tremper le rouleau dans ce mélange et enlever l'excédent dans une assiette propre. Peindre les contours du meuble et les séparations de la face, puis faire des rayures irrégulières dans la longueur et dans la largeur.

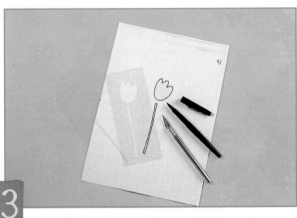

3 Agrandir et reporter le motif de la tulipe (voir page 90) sur une feuille. Poser le plastique sur le motif et évider le centre au cutter pour réaliser le pochoir. Repérer l'emplacement des motifs. Préparer des mélanges de peinture : ajouter un peu de blanc à chaque couleur choisie (sans eau) pour obtenir des tons pastel. Fixer le pochoir avec de l'adhésif.

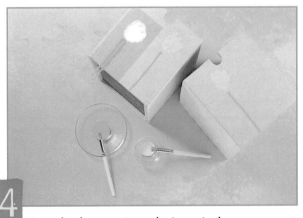

4 Avec les brosses à pochoir, peindre en tapotant à la verticale (mettre peu de peinture sur les brosses). Utiliser une brosse pour les corolles et une autre pour les tiges. Laver le pochoir à chaque changement de couleur. Laisser sécher 30 mn. Cirer avec de la cire liquide incolore et un chiffon propre.

Petite robe et son bloomer

Décalquer soigneusement le patron fourni en fin d'ouvrage. Épingler les différentes pièces sur l'envers du tissu. Tracer les contours à la craie et couper (les coutures de 7 mm sont comprises). Reporter sur le tissu les lettres A, B, B', B", D et O indiquées sur le patron. Cranter aux repères. À chaque étape, se reporter au patron pour ne pas faire d'erreur.

NB : les mots en italique et certaines difficultés sont expliqués page 86.

1 **Bloomer :** Assembler les coutures de côté devant et dos, endroit contre endroit. Piquer puis *surjeter* en prenant toutes les épaisseurs. Assembler les coutures entrejambe, épingler et faufiler si nécessaire. Piquer, surjeter puis repasser toutes ces coutures. Surjeter la taille, puis le bas des jambes.

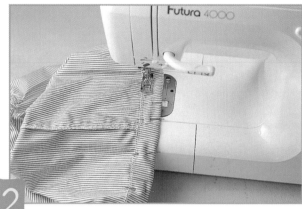

2 Plier la taille au cran D, envers contre envers, repasser puis maintenir ce *rempli* en faisant une piqûre dans le surjet tout en laissant une ouverture de 2 cm pour le passage de l'élastique. Faire un pli de 1 cm au bas des jambes et procéder de la même façon que pour la taille.

3 Coulisser l'élastique à la taille et superposer les deux extrémités. Maintenir par un *point d'arrêt.* Faire de même pour les jambes. Refermer les ouvertures.

4 **Assemblage de la robe :** Assembler les épaules dos et devant, endroit contre endroit, épingler, bâtir et piquer. Surjeter en prenant toutes les épaisseurs puis repasser.

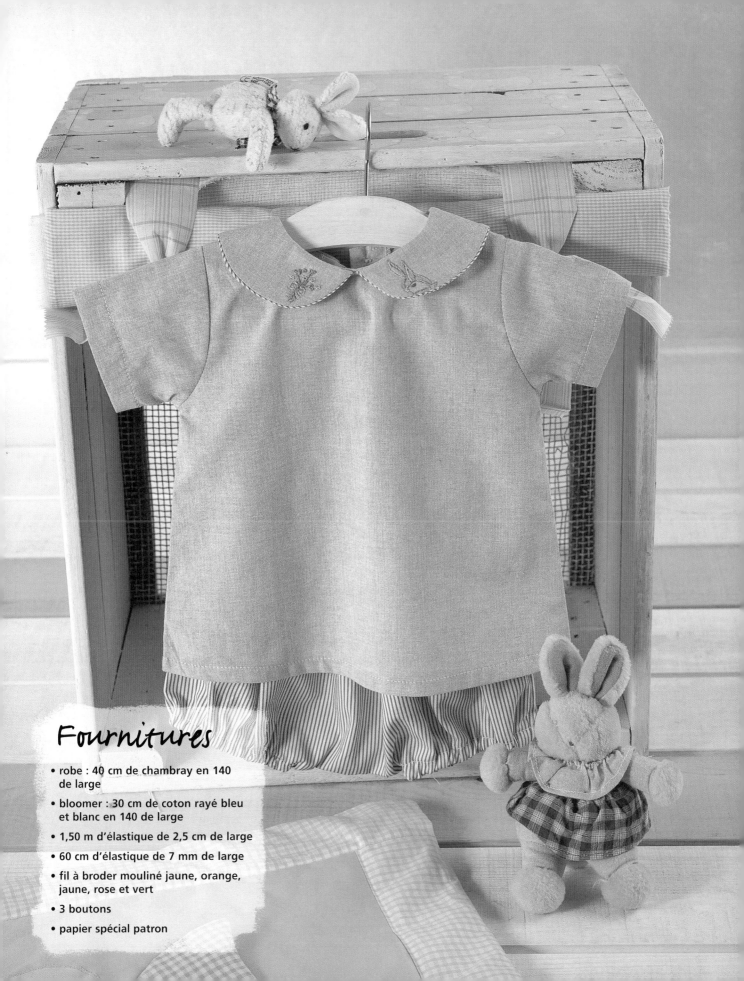

Fournitures

- robe : 40 cm de chambray en 140 de large
- bloomer : 30 cm de coton rayé bleu et blanc en 140 de large
- 1,50 m d'élastique de 2,5 cm de large
- 60 cm d'élastique de 7 mm de large
- fil à broder mouliné jaune, orange, jaune, rose et vert
- 3 boutons
- papier spécial patron

Petite robe et son bloomer

5 Monter la manche à plat sur la robe, endroit contre endroit, épingler en faisant correspondre le milieu de la manche sur la couture d'épaule puis piquer. Surjeter l'emmanchure et le bas des manches.

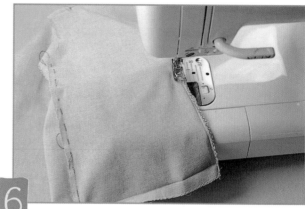

6 Épingler les coutures de côté dos et devant, endroit contre endroit, puis piquer du bas de la robe jusqu'au bas de la manche en faisant correspondre les coutures. Surjeter puis repasser. Surjeter le milieu dos et la *parementure*.

7 Assembler la couture milieu dos et repasser. Surjeter le bas de la robe, faire un pli de 1 cm, envers contre envers, puis repasser. Maintenir ce rempli en piquant dans le surjet. Plier le bas de la manche au cran O, repasser et maintenir le rempli par une piqûre dans le surjet.

8 **Col :** Broder les motifs sur le dessus du col (voir page 86). Poser le dessus du col sur le dessous, endroit contre endroit, épingler et piquer à l'exception de la partie du col sur laquelle on posera le biais. Dégager, retourner puis repasser.

9 Poser le col au cran A, piquer en faisant correspondre la lettre C sur la couture d'épaule. Plier le biais d'encolure en deux, envers contre envers, puis repasser. Plier la parementure au cran B, endroit contre endroit, poser le biais et piquer. Dégager l'encolure et retourner les coins des parementures. Rabattre le biais en faisant une *piqûre nervure* de 1 mm.

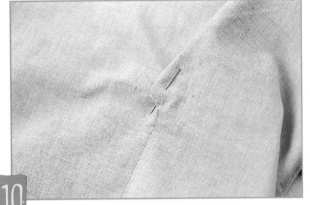

10 Plier la parementure au cran B', endroit contre endroit, et piquer de la pliure jusqu'à la couture milieu dos (1 cm). Cranter, retourner les coins et repasser. Superposer les deux parementures et maintenir l'ensemble par une piqûre nervure de 1 mm en prenant toute l'épaisseur.

11 Faire les *boutonnières* aux endroits indiqués et coudre les boutons. Bien repasser pour terminer.

39

Fournitures

- 50 cm de coton chambray en 140 de large
- 20 cm de coton rayé en 140 de large
- 2 élastiques de 24 cm de long et 1 cm de large
- 12 cm de bande de pressions ou de Velcro
- 4 boutons blancs
- papier spécial patron

Barboteuse légère

Décalquer soigneusement le patron fourni en fin d'ouvrage. Épingler les différentes pièces sur l'envers du tissu. Tracer les contours à la craie et couper (les coutures de 7 mm sont comprises). Reporter sur le tissu les lettres A, B, B', B", C et O indiquées sur le patron. Cranter aux repères. À chaque étape, se reporter au patron pour ne pas faire d'erreur.

NB : les mots en italique, et certaines difficultés sont expliqués page 86.

1 **Assemblage du corsage :** Assembler les épaules dos et devant, endroit contre endroit. Piquer, *surjeter* en prenant toutes les épaisseurs puis repasser. Monter les manches à plat sur le corsage, endroit contre endroit. Piquer en faisant correspondre le milieu de la manche sur la couture, surjeter l'emmanchure et le bas des manches.

2 Poser le dessus de la poche sur le dessous, envers contre envers. Maintenir par une piqûre sur le bord. Poser le biais, sur le dessous de la poche, piquer, rabattre le biais sur le dessus par une *piqûre nervure* de 1 mm. Poser la poche sur le milieu devant et faire un pli de 7 mm de chaque côté. Maintenir par une piqûre nervure de 1 mm.

3 Fermer la couture de côté, dos et devant, épingler et bâtir. Piquer du bas du corsage jusqu'au bas de la manche, en faisant correspondre les coutures, puis surjeter. Plier le bas de la manche au cran O, repasser et maintenir ce *rempli* en piquant dans le surjet.

4 **Assemblage de la culotte :** Assembler les coutures de côté dos et devant, endroit contre endroit, piquer et surjeter en prenant toutes les épaisseurs. Puis surjeter les *fourches* dos et les *parementures* dos.

Barboteuse légère

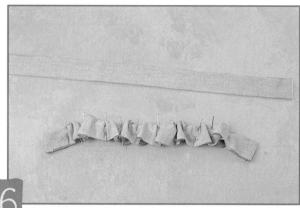

5 Assembler les fourches dos, piquer puis repasser toutes ces coutures. Surjeter les bords des entrejambes. Plier ces dernières envers contre envers au cran pliure et repasser. Maintenir ce rempli par une piqûre dans le surjet.

6 Plier le bracelet du bas de jambe en deux, endroit contre endroit, et piquer les extrémités. Retourner puis repasser. Intercaler l'élastique à l'intérieur, fixer le bracelet aux poses élastiques avec une épingle. Aux deux extrémités, piquer à travers tout.

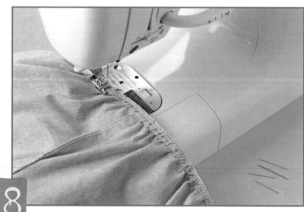

7 Fermer le bracelet par une piqûre tout le long sans piquer l'élastique. Poser le bracelet élastique sur le bas de la jambe et piquer d'un bout à l'autre. Surjeter en prenant toutes les épaisseurs.

8 Passer deux fils de fronces à la taille et resserrer à la dimension du corsage. Poser la culotte sur le corsage, piquer en faisant correspondre les coutures ainsi que les milieux. Surjeter la taille en prenant toutes les épaisseurs.

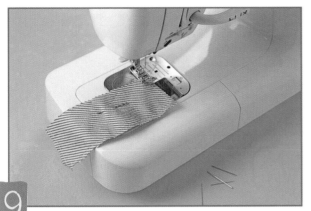

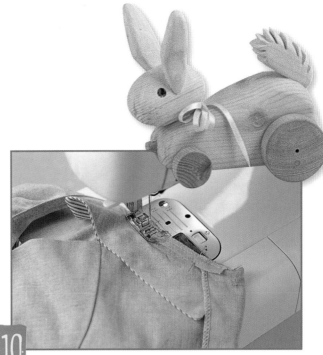

9 **Col :** Poser le dessus du col sur le dessous, endroit contre endroit, et piquer. Dégager, retourner puis repasser de façon à laisser dépasser légèrement le tissu du dessous du col. Poser le col au cran A et piquer en faisant correspondre la lettre C à la couture d'épaule.

10 Plier le biais en deux, envers contre envers, puis repasser. Plier la parementure au cran B, endroit contre endroit, poser le biais et piquer. Dégager l'encolure, retourner les coins de parementure. Rabattre le biais en faisant une piqûre nervure de 1 mm.

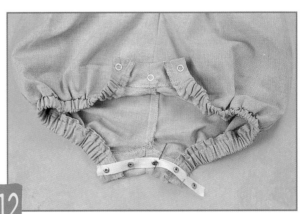

11 Plier la parementure au cran B", endroit contre endroit, piquer de la pliure jusqu'à la couture de fourche (1 cm) et cranter. Retourner les coins, repasser, superposer les deux parementures. Maintenir l'ensemble par une piqûre nervure de 1 mm à travers tout.

12 Coudre la bande de pressions ou la bande Velcro. Faire les *boutonnières* aux endroits indiqués et coudre les boutons. Bien repasser pour finir.

Cardigan printanier

Taille 3 à 6 mois (6 à 9 mois), voir mesures page 87.

Points employés   Point mousse : tricoter tous les rangs à l'endroit.
Point jersey endroit : 1er rang = tricoter toutes les mailles à l'endroit.
2e rang = tricoter toutes les mailles à l'envers. Répéter toujours ces 2 rangs.
Boutonnières : sur 5 mailles au point mousse = tricoter 2 mailles, 1 jeté, 2 mailles ensemble, 1 maille.

Échantillon   10 cm x 10 cm en jersey endroit, légèrement repassé.
Aiguilles n° 3 = environ 28 mailles et 40 rangs.
Utiliser des aiguilles plus fines ou plus grosses si l'échantillon n'est pas conforme.

Dos

Monter 70 (76) mailles sur les aiguilles n° 3. Tricoter 8 rangs au point mousse, puis continuer en jersey endroit, sauf les 5 mailles à chaque extrémité que l'on tricote au point mousse (pour la fente).
À 4 cm de hauteur totale laisser en attente.

Devant droit

Monter 37 (39) mailles sur les aiguilles n° 3. Tricoter 8 rangs au point mousse, puis continuer en jersey endroit sauf les 5 mailles à chaque extrémité que l'on tricote au point mousse (les 5 mailles de droite pour la bordure et les 5 mailles de gauche pour la fente).
À 4 cm de hauteur totale laisser en attente.

Devant gauche

Faire le devant gauche identique. Les 5 premières mailles en mousse seront pour la fente et les 5 dernières mailles en mousse seront pour la bordure. Reprendre sur la même aiguille à la suite, les 37 (39) mailles du devant droit, les 70 (76) mailles du dos et les 37 (39) mailles du devant gauche. Les 5 mailles de chaque extrémité seront toujours tricotées au point mousse jusqu'à la fin du travail. Continuer au point jersey endroit sauf les 10 mailles des fentes droite et gauche que l'on continue à tricoter au point mousse pendant encore 8 rangs.
Après ces 8 rangs, continuer sur toutes les mailles au point jersey (sauf les bordures au point mousse).
À 12 (13) cm de hauteur totale, séparer le travail en trois : 37 (39) mailles pour chaque devant et 70 (76) mailles pour le dos. Reprendre les 70 (76) mailles du dos. Diminuer 2 mailles de chaque côté pour l'emmanchure. Il reste 66 (72) mailles. Continuer droit sur ces 66 (72) mailles. À 21 (23) cm de hauteur totale, arrêter les 26 (28) mailles centrales. Faire encore 2 rangs et arrêter les 20 (22) mailles de chaque épaule. Reprendre les 37 (39) mailles du devant droit. Diminuer à gauche 2 mailles pour l'emmanchure. Il reste 35 mailles.
Continuer droit sur ces 35 (37) mailles. En même temps que l'emmanchure former la première boutonnière sur la bordure. Faire trois autres boutonnières, tous les 3 (3,5) cm environ. La dernière boutonnière se fera sur la bande d'encolure.
À 20 (21) cm de hauteur totale, pour l'encolure, mettre en attente les 5 mailles au point mousse de la bordure puis, tous les 2 rangs, diminuer deux fois 5 mailles.
À 22 (24) cm de hauteur totale, arrêter en une seule fois les 20 (22) mailles de l'épaule.
Faire le devant gauche en vis-à-vis sans les boutonnières.

Manches

Monter 48 (52) mailles sur les aiguilles n° 3. Tricoter 22 rangs au point mousse (revers). Continuer au point jersey endroit pendant 5 cm, puis à 1 maille du bord augmenter 1 maille de chaque côté tous les 10 rangs cinq (six) fois. On a 58 (64) mailles.
À 19 (21) cm de hauteur totale arrêter les mailles souplement en une seule fois. Faire la seconde manche identique.

Poche

Monter 17 mailles sur les aiguilles n° 3 et tricoter au point mousse. À 6 cm de hauteur totale arrêter toutes les mailles sur l'envers.

Montage

Assembler le dos aux devants par les coutures des épaules. Fermer les manches et les monter.

Bande d'encolure

Sur les aiguilles n° 3, reprendre les 5 mailles en attente de la bordure du devant droit, puis à la suite relever environ 86 (90) mailles, puis les 5 mailles en attente de la bordure du devant gauche. Tricoter sur toutes les mailles, 6 rangs au point mousse. Arrêter au 7e rang, sur l'envers du travail, sans oublier la dernière boutonnière. Coudre les quatre boutons. Coudre la poche au milieu de l'un des deux devants et juste au-dessus des 8 rangs mousse du bas du devant. Faire le revers des manches. Repasser légèrement à la vapeur.

Fournitures

- 3 (4) pelotes de laine coloris écru
  (50% laine - 50% coton)
- 4 petits boutons
- aiguilles n° 3

Drôle de savane

- Berceau des éléphants
- Parure de lit ensoleillée
- Étagères espiègles
- Petits cadres aux girafes
- L'ami girafon
- Salopette safari
- Petite veste d'été

Fournitures

- 1 berceau en bois brut
- 50 cm de velours gris en 140 de large
- 25 cm de toile blanche en 140 de large
- 1,80 m de ruban gris
- fil à coudre gris
- fil à broder mouliné noir
- bourre synthétique
- peinture pour tissu : blanc, noir, bleu, violet
- peinture acrylique mate : blanc, jaune
- 1 pinceau plat de 4 cm de large
- 1 pinceau plat de 2 cm de large
- cire liquide incolore
- papier calque

Berceau des éléphants

Quatre petits éléphants

1 Mélanger de la peinture blanche pour tissu avec une pointe de noir et de violet pour obtenir une teinte gris clair. Diluer avec un peu d'eau. À l'aide du petit pinceau plat, peindre la toile blanche sur l'endroit. Bien laisser sécher. Couper dans la toile sèche seize rectangles de 4 x 7 cm. Les épingler deux à deux, endroit contre endroit.

2 Agrandir et décalquer le tracé des oreilles (voir page 92). Reporter la forme sur les rectangles peints.

3 Découper les oreilles à 5 mm du tracé. Piquer sur le tracé en laissant une petite ouverture. Retourner les oreilles et les garnir de bourre. Fermer les ouvertures en faisant une couture à points serrés.

4 Plier la pièce de velours gris en deux, endroit contre endroit. Agrandir et décalquer la silhouette de l'éléphant (voir page 92). La reproduire quatre fois sur le velours gris. Découper à 5 mm du tracé.

Berceau des éléphants

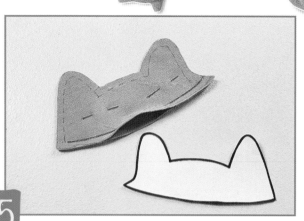

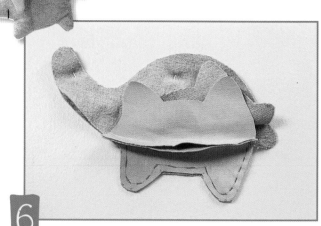

5 Agrandir et décalquer le patron de l'entrejambe (voir page 92). Le reporter huit fois sur le reste de tissu peint épinglé endroit contre endroit. Découper à 5 mm du tracé. Piquer en laissant une ouverture de 4 cm environ.

6 Pour chaque éléphant, assembler les deux pièces de l'entrejambe au corps, endroit contre endroit. Épingler et bâtir en les plaçant bord à bord.

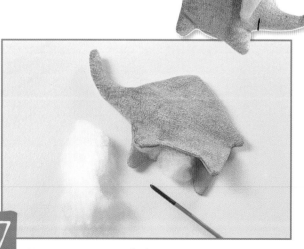

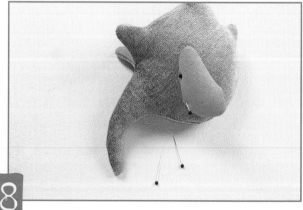

7 Piquer en suivant le bâti, cranter, retourner, amener les coutures à l'arête. Garnir de bourre le corps des éléphants à l'aide du manche d'un pinceau.

8 Refermer l'ouverture par une couture à points serrés. Placer puis épingler les oreilles de chaque côté de la tête avant de les coudre.

9 Sur chaque éléphant, broder les yeux au point de graine et la bouche au point de tige avec le mouliné noir. Couper des bouts de ruban de 20 cm. À l'aide d'une grosse aiguille, passer le ruban sur l'un des côtés de chaque éléphant. Les attacher en les nouant aux barreaux du lit.

Tendre berceau

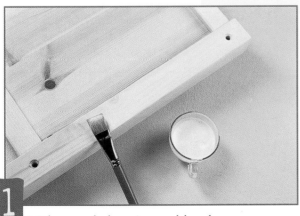

1 Mélanger de la peinture blanche avec un peu de jaune pour obtenir un jaune pâle et diluer avec un peu d'eau. Peindre les montants et les barreaux du lit avec le gros pinceau plat. Passer deux couches et laisser sécher 15 mn environ entre chaque couche.

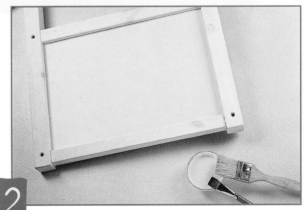

2 Ajouter une cuillerée à café de peinture jaune au reste de peinture jaune pâle et bien mélanger. Peindre les deux rectangles à la tête et au pied du berceau. Passer deux couches. Laisser sécher 15 mn entre chaque couche, puis cirer à l'aide d'un chiffon doux.

Parure de lit ensoleillée

Coussin

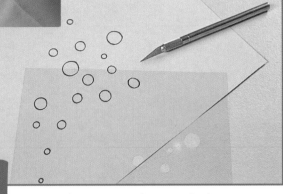

1 Couper deux pièces de tissu de 40 x 22 cm. Réaliser le pochoir : dessiner des pois sur le Rhodoïd et les évider au cutter. Dans la coupelle, mélanger un peu de peinture blanche et jaune.

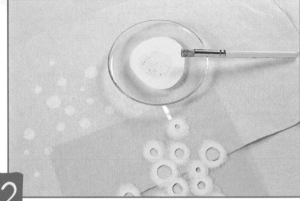

2 Placer le pochoir à l'angle de l'une des pièces de tissu, à 4 cm des bords. En le maintenant fermement, appliquer la peinture en tamponnant à la brosse. La tenir verticalement pour bien faire pénétrer la peinture. Laisser sécher 30 mn puis repasser sur l'envers au fer chaud.

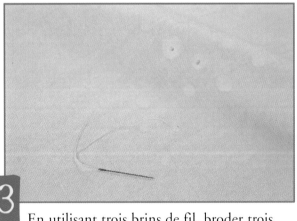

3 En utilisant trois brins de fil, broder trois points de graine sur les pois peints. Épingler et coudre à la machine les deux pièces de tissu, envers contre envers, à 2 cm du bord en laissant une ouverture de 8 cm sur l'un des petits côtés.

4 Broder au point de tige (voir modèle page 86) sur la couture. Rembourrer le coussin et le refermer. Terminer la broderie au point de tige. Pour finir, retirer les fils de trame du tissu sur tout le pourtour du coussin.

Drap

Couper une pièce de tissu de 90 x 125 cm. Procéder de la même manière que pour le coussin pour réaliser le décor au pochoir et les points de graine. Piquer le pourtour du drap au point de bourdon, à l'exception de l'un des petits côtés. Replier celui-ci sur environ 30 cm et piquer à 2 cm du bord. Broder au point de tige sur cette couture. Pour finir, ôter les fils de trame.

Fournitures

- 1,25 m de tissu lâche écru en 140 de large
- 1 feuille de Rhodoïd ou de plastique rigide
- fil à broder mouliné jaune
- fil à coudre blanc
- peinture pour tissu : blanc, jaune
- 1 petite brosse à pochoir
- bourre synthétique

Fournitures

- 2 étagères en bois brut
- 4 équerres en bois brut
- contreplaqué de 5 mm d'épaisseur
- papier calque
- 1 éponge naturelle
- peinture acrylique mate : blanc, noir, violet, bleu, vert, jaune
- 1 pinceau fin et 1 pinceau très fin
- 1 scie électromagnétique
- papier de verre à grain fin
- colle à bois
- cire liquide incolore
- petites pointes

Étagères espiègles

Préparation

Mélanger de la peinture blanche avec un peu de vert et de jaune, et diluer avec un peu d'eau. Avec l'éponge, peindre les équerres et les étagères. Appliquer deux couches et laisser sécher 15 mn entre chaque couche. Cirer à l'aide d'un chiffon doux.

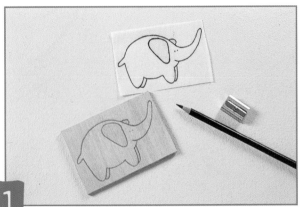

1 Couper des petits rectangles de 10 x 7 cm dans le contreplaqué. Décalquer la silhouette de l'éléphant (voir page 92) et la reporter sur chaque rectangle.

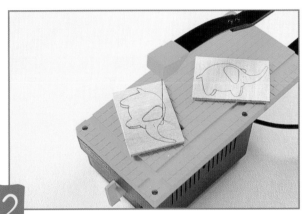

2 Découper soigneusement à la scie tous les éléphants. Puis poncer chaque pièce au papier de verre, en insistant sur les tranches et les arrondis.

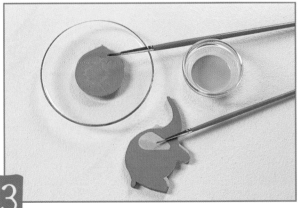

3 Mélanger de la peinture bleue avec un peu de blanc et une pointe de noir. Diluer pour obtenir un bleu dense mais fluide. Peindre le corps, la tranche et le dos des éléphants au pinceau fin. Ajouter du blanc et peindre les oreilles et les pattes. Passer deux couches en laissant sécher 15 mn entre chaque couche.

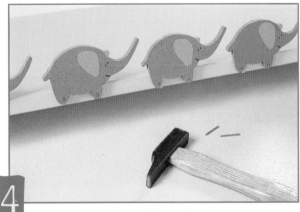

4 Peindre les yeux et la bouche en noir au pinceau très fin, et laisser sécher 15 mn. Cirer avec un chiffon doux puis, avec la colle à bois, fixer les éléphants sur le chant des étagères en les répartissant de manière égale. Clouer pour maintenir le décor en place.

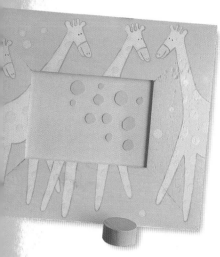

Petits cadres aux girafes

Préparation

Poncer le cadre pour obtenir une surface lisse. Préparer un jus dans une coupelle en mélangeant de la peinture jaune avec un peu d'eau. Peindre le cadre à la brosse. Laisser sécher 15 mn puis repasser une seconde couche. Bien laisser sécher avant de décorer.

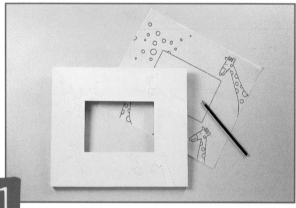

1 Reporter le gabarit du cadre sur le calque puis décalquer plusieurs fois le motif de la girafe (voir page 92). Reporter le dessin sur le cadre.

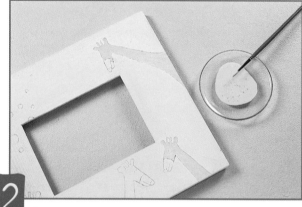

2 À l'aide du pinceau moyen, peindre les girafes en vert. Passer deux ou trois couches en laissant sécher 15 mn entre chaque couche.

3 Dessiner les pois sur les girafes et les peindre avec de la peinture blanche un peu diluée. Laisser sécher 15 mn puis repasser une seconde couche.

4 Mélanger une pointe de noir, de bleu et de violet dans un peu de peinture blanche. Diluer avec de l'eau pour obtenir un jus et peindre le contour des girafes au pinceau très fin. Peindre les yeux en noir. Bien laisser sécher. Cirer le cadre avec un chiffon doux.

Fournitures

- cadres en bois brut
- papier de verre à grain fin
- papier calque selon format des cadres
- peinture acrylique mate : blanc, bleu, noir, violet, vert, jaune
- 1 brosse plate souple
- 1 pinceau moyen et 1 pinceau très fin
- cire liquide incolore

Fournitures

- 50 cm de toile verte en 140 de large
- 8 x 8 cm de toile blanche
- papier calque
- 1 feuille de Rhodoïd ou de plastique rigide
- peinture blanche pour tissu
- 1 petite brosse à pochoir
- bourre synthétique
- fil à broder mouliné noir
- fil à coudre coordonné

L'ami girafon

Agrandir et décalquer le modèle de la girafe, ainsi que la queue, la crinière, les oreilles et les cornes (voir page 92). Reporter les formes sur l'envers du tissu vert et du tissu blanc et découper à 5 mm du tracé. **Attention : la girafe est purement décorative. Elle ne peut pas être utilisée en jouet.**

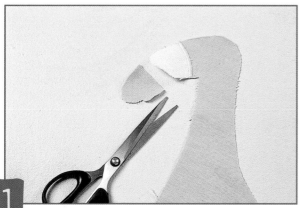

1 Sur l'une des faces de la girafe, coudre le museau à la machine au point de bourdon. Retourner le travail et couper le tissu vert inutile à ras du bourdon. Répéter l'opération sur l'autre face. Épingler le corps endroit contre endroit.

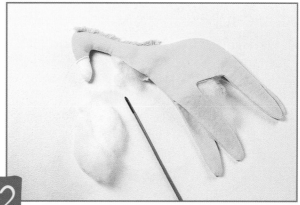

2 Insérer la crinière pliée en deux dans la longueur au niveau des repères (voir page 92). Piquer et laisser une ouverture le long du cou. Retourner puis, avec le manche d'un pinceau fin, rembourrer la tête, le cou, les pattes et le corps. Fermer les ouvertures à points serrés (excepté à l'endroit de la queue). Tirer les fils de trame pour réaliser la crinière.

3 Piquer les oreilles endroit contre endroit, les retourner. Les coudre à la main sur la tête. Pour les cornes et la queue, faire un rentré à la main dans le haut et sur les côtés. Avant de finir de coudre la queue, tirer les fils sur 1 cm. Insérer et fixer la queue. Pour finir, broder les yeux, les narines et la bouche.

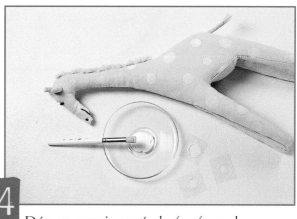

4 Découper trois carrés de 4 x 4 cm dans le plastique pour confectionner des pochoirs. Dans chaque carré, découper des cercles de tailles différentes. En maintenant fermement le pochoir, appliquer la peinture blanche en tamponnant avec la brosse. Alterner les pochoirs. Laisser sécher 30 mn avant de fixer au fer chaud.

Salopette safari

Décalquer soigneusement le patron fourni en fin d'ouvrage. Épingler les différentes pièces sur l'envers du tissu. Tracer les contours à la craie et couper (les coutures de 7 mm sont comprises). Reporter sur le tissu les lettres A, B, B' et O indiquées sur le patron. Cranter aux repères. À chaque étape, se reporter au patron pour ne pas faire d'erreur.

NB : les mots en italique et certaines difficultés sont expliqués page 86.

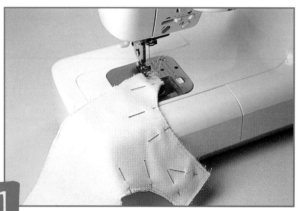

1 **Devant :** Broder au point de tige serré le motif de l'empiècement sur l'endroit du tissu (voir page 86). Poser le dessus sur le dessous, endroit contre endroit. Piquer tout autour, sauf la taille, dégager puis retourner. Repasser (le dessous ne doit pas dépasser).

2 Poser et épingler le dessus de la poche sur le dessous, endroit contre endroit. Piquer en laissant une ouverture, dégager puis retourner. Fermer l'ouverture. Repasser.

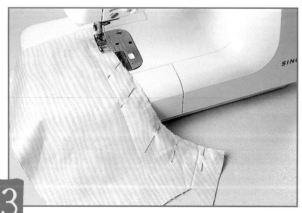

3 Assembler la *fourche* devant, piquer, *surjeter* en prenant toutes les épaisseurs puis repasser. Surjeter les bords des *parementures*.

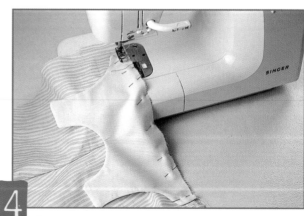

4 Épingler l'empiècement sur le bas au cran A et piquer d'un bout à l'autre en faisant correspondre les milieux.

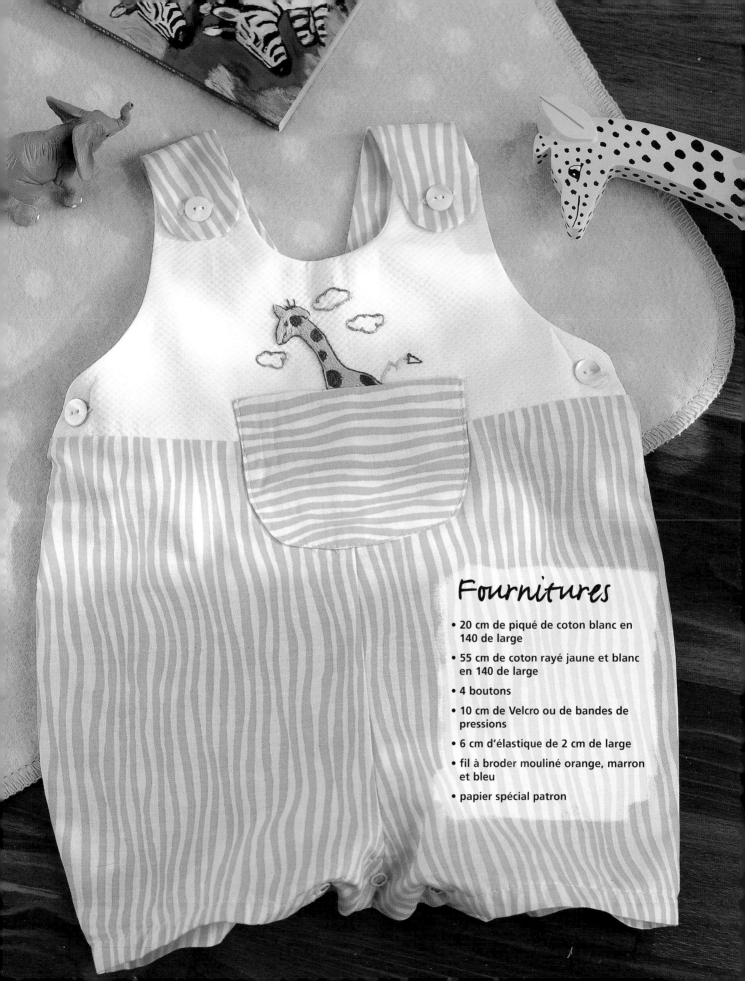

Fournitures

- 20 cm de piqué de coton blanc en 140 de large
- 55 cm de coton rayé jaune et blanc en 140 de large
- 4 boutons
- 10 cm de Velcro ou de bandes de pressions
- 6 cm d'élastique de 2 cm de large
- fil à broder mouliné orange, marron et bleu
- papier spécial patron

Salopette safari

5 Poser la poche aux endroits indiqués sur le patron de l'empiècement et épingler. Piquer l'arrondi de la poche.

6 Au cran A, plier la parementure sur la couture, puis piquer sur la valeur de la parementure et dans la première couture. Surjeter la taille et retourner les coins des parementures.

7 **Dos :** Assembler la fourche dos, endroit contre endroit, piquer et surjeter. Poser l'élastique sur le dos à l'endroit indiqué sur le patron et piquer tout autour.

8 Assembler la doublure dos, endroit contre endroit, piquer et repasser. Surjeter les bords des parementures dos et le bas de la doublure dos. Plier au cran B, endroit contre endroit, poser la doublure au-dessus, endroit contre endroit et piquer tout autour.

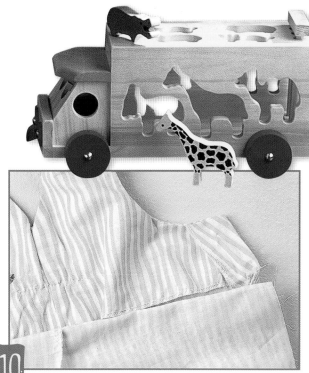

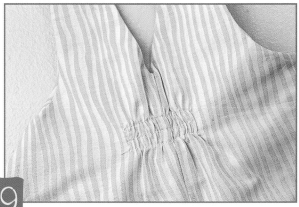

9 Dégager, retourner puis repasser.
Bien mettre la doublure à plat et repiquer,
à travers toutes les épaisseurs, dans la piqûre
de l'élastique. Faire une autre piqûre entre
les deux premières.

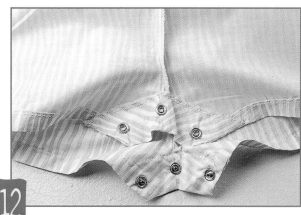

10 Plier au cran B', envers contre envers.
Puis assembler endroit contre endroit,
la parementure devant sur la pliure. Surjeter
l'ensemble et piquer. Surjeter et piquer
les coutures de côté, retourner et repasser.

11 Plier au cran O, endroit contre endroit,
puis piquer à 1,5 cm du surjet et sur la valeur
de la parementure. Retourner puis repasser.
Maintenir par une piqûre dans le surjet
(tout autour, entrejambe comprise).

12 Faire les *boutonnières* sur l'empiècement
devant et sur chaque bretelle dos. Coudre
les boutons. Poser les pressions ou le Velcro.

Fournitures

- 35 cm de piqué de coton blanc en 140 de large
- 35 cm de coton rayé jaune et blanc en 140 de large
- 3 boutons
- fil à broder mouliné gris clair, gris foncé, jaune et noir
- papier spécial patron

Petite veste d'été

Préparation

Décalquer soigneusement le patron fourni en fin d'ouvrage. Épingler les différentes pièces sur l'envers du tissu. Tracer les contours à la craie et couper (les coutures de 7 mm sont comprises). Reporter sur le tissu les lettres A et B indiquées sur le patron. Cranter aux repères. À chaque étape, se reporter au patron pour ne pas faire d'erreur.
NB : les mots en italique et certaines difficultés sont expliqués page 86.

1 Poches : Broder les poches au point de tige (voir page 86). Poser le dessus de la poche sur le dessous, endroit contre endroit. Piquer en laissant une ouverture de 3 cm sur un côté, dégager, retourner puis repasser.

2 Col : Poser le dessus du col sur le dessous, endroit contre endroit. Piquer, dégager, retourner puis repasser.

3 Assemblage du vêtement : Commencer par la doublure. Assembler les épaules dos et devant, endroit contre endroit, piquer puis repasser.

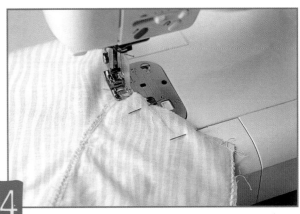

4 Monter la manche à plat, piquer en faisant correspondre le milieu de manche sur la couture d'épaule, puis repasser la couture couchée. Assembler de même la veste en piqué blanc.

Petite veste d'été

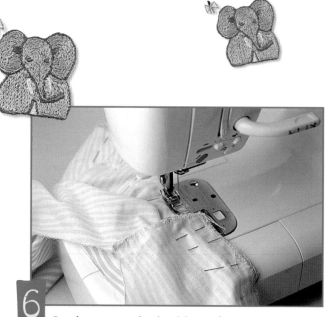

5 Poser les poches sur le piqué blanc aux endroits indiqués, les épingler et les maintenir par une *piqûre nervure* de 1 mm.

6 Sur la veste et la doublure, fermer les coutures de côté. Piquer du bas de la manche jusqu'à l'arrêt fente, en faisant bien correspondre les coutures.

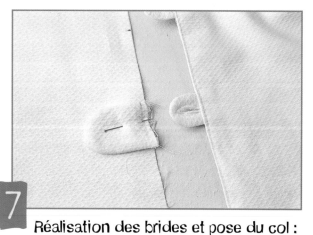

7 **Réalisation des brides et pose du col :**
Poser et épingler le dessus de la bride sur le dessous, endroit contre endroit. Piquer, dégager, retourner et repasser. Faire une piqûre de 1 mm tout autour. Faire les *boutonnières*. Poser les brides aux crans indiqués sur le patron et maintenir par une piqûre sur le bord.

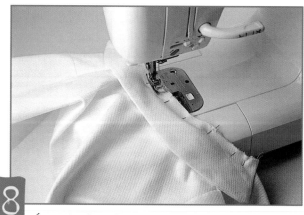

8 Épingler le col au cran A et piquer en faisant correspondre la lettre B sur les coutures d'épaule.

9 Poser la doublure sur le vêtement, endroit contre endroit. Épingler et piquer les deux pièces du devant jusqu'à l'encolure en partant de l'arrêt fente d'un devant jusqu'à l'arrêt fente de l'autre devant.

10 Épingler et piquer le bas de la partie dos à partir de l'arrêt fente dos en laissant une ouverture de 6 cm. Dégager et retourner sur l'endroit.

11 Par l'ouverture, attraper les manches, faire correspondre les coutures, endroit contre endroit, et piquer le bas des manches. Remettre les manches sur l'endroit et repasser le vêtement, afin que la doublure ne dépasse pas. Faire une piqûre nervure tout autour du vêtement sauf à l'encolure et au bas des manches. Coudre les boutons et repasser.

Cirque en fête

Clown rigolo

1 Plier chaque pièce de tissu en deux, endroit contre endroit. Agrandir, décalquer et reproduire les différentes parties du clown sur les tissus (voir page 94). Épingler et couper à 1 cm du tracé. Piquer à la machine les mains, les cheveux, les pieds et cranter les angles. Puis les retourner et les garnir de bourre.

2 Coudre les deux côtés des bras endroit contre endroit puis placer chaque main à l'intérieur. Épingler et piquer à 1 cm du bord. Retourner les bras et les garnir de bourre.

3 Pour faire le devant, épingler les bords droits de deux parties du corps, les piquer à 1 cm du bord. Faire de même pour le dos. Puis épingler les deux pièces ainsi obtenues endroit contre endroit, en plaçant les bras et les pieds à l'intérieur. Piquer à 1 cm du bord en laissant une ouverture de 9 cm dans le bas d'une jambe. Placer les cheveux de chaque côté de la tête, à l'intérieur, et piquer le long des cheveux.

4 Coudre ensuite le chapeau endroit contre endroit. L'épingler sur la tête et piquer à 1 cm du bord. Retourner la tête, la placer dans le corps au niveau du cou, épingler et piquer à 1 cm du bord. Retourner le clown, le garnir de bourre, et fermer par une couture à points glissés. Pour finir, dessiner le visage avec les feutres, coudre le nœud papillon et les pompons.

Fournitures

- chutes de coton de différentes couleurs : rouge, bleu, blanc, jaune citron
- fil à coudre coordonné
- bourre synthétique
- 6 petits pompons rouges
- 4 petits pompons bleus
- 1 nœud papillon en coton rouge
- feutres pour tissu : rouge, bleu, jaune
- papier calque

Fournitures

- 8 m de voile de coton jaune en 150 de large
- 1,20 m de coton bleu en 150 de large
- 20 cm de ruban de 1 cm de large ou de biais bleu
- 3 m de ruban jaune
- cerceau de 66 cm de diamètre
- pommes de terre
- peinture pour tissu : jaune
- papier calque

Chapiteau pour un berceau

On peut adapter ce ciel de lit à la hauteur désirée suivant la taille du lit.
Ce modèle convient également pour un lit de 90 x 180 cm.

1 Couper le voile de coton en quatre pièces
de 2 m, et les assembler côte à côte pour avoir
une pièce de 2 x 6 m. Piquer à la machine au
point droit. Aplatir les coutures en les repassant
et faire un ourlet dans le bas du tissu.
Dans le haut du tissu, à 1 cm du rebord,
passer un fil de fronce pour obtenir une largeur
de 2,30 m environ.

2 Pour confectionner le toit, agrandir
et décalquer la forme du triangle (voir page 93).
La reporter six fois sur le tissu bleu et découper.
Assembler les pièces côte à côte sur la hauteur
et piquer à la machine. Avant de refermer
le toit, placer l'attache : plier le ruban bleu
en deux au niveau des pointes des triangles,
puis piquer à la machine pour refermer et fixer
l'attache.

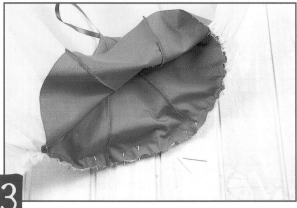

3 Placer le cône obtenu sur l'envers,
en épingler la base aux fronces du voile de coton,
endroit contre endroit. Les deux extrémités
du tissu froncé doivent se superposer. Piquer
à la machine. Couper 12 rubans jaunes de 25 cm
de long, les épingler autour du cône puis
les coudre. Placer le cerceau à la base du cône
et le fixer en nouant les rubans.

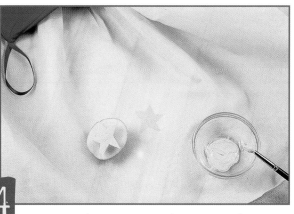

4 Dans une demi-pomme de terre, sculpter
une étoile en relief pour confectionner
un tampon. Placer le ciel de lit sur une grande
feuille de papier, enduire légèrement le tampon
de peinture jaune et tamponner le tissu.
Laisser sécher. Repasser sur l'envers pour aplatir
les fronces et fixer la peinture.

Mobile étoilé

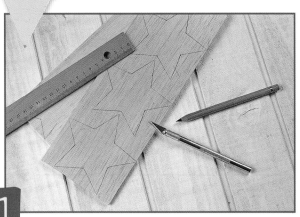

1 Décalquer les étoiles (voir page 93) et reproduire cinq fois la forme du grand modèle et cinq fois celle du petit modèle sur le balsa. Découper ces formes au cutter.

2 Peindre les grandes étoiles uniformément (deux en jaune, deux en bleu et une en rouge). Peindre de même les petites étoiles (quatre en rouge et une en jaune). Laisser sécher puis peindre le motif de votre choix au centre de chaque étoile. Peindre également les boules de cotillon en bleu, en jaune et en rouge, et les baguettes de bois en jaune.

3 À l'aide de la grosse aiguille, enfiler chaque boule de cotillon sur un fil de coton perlé de 15 cm de long. Enfiler ensuite les étoiles à chaque extrémité des fils en les perforant avec la grosse aiguille. Monter ainsi les différentes parties du mobile en respectant bien les couleurs des boules et des étoiles.

4 Placer les deux baguettes en croix, les maintenir avec du coton perlé et fixer en faisant un nœud. Les nouer ensuite sur l'axe central. Terminer en accrochant des différentes parties du mobile à chaque extrémité des baguettes. Pour cela, les encoller et y enrouler le fil.

Fournitures

- 2 baguettes de bois de 50 cm de long et de 5 mm de diamètre
- 1 planche de balsa de 3 mm d'épaisseur
- peinture acrylique : jaune, rouge, bleu
- coton perlé jaune
- 12 boules de cotillon
- papier calque
- grosse aiguille pointue

Fournitures

• chutes de coton de différentes couleurs : rouge, bleu, jaune citron et jaune d'or

• 40 cm de coton bleu (suivant le format du classeur)

• 50 cm de de toile thermocollante fine

• colle pour tissu

• fil à coudre bleu

• fil mouliné coordonné

• 1 petit classeur à œillets

• 10 pompons rouges

• 4 petits pompons bleus

• 1 petit nœud papillon en coton rouge

L'album de bébé

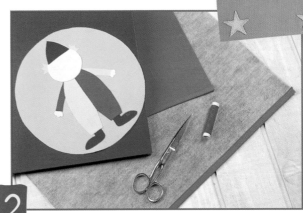

1 Fixer au fer la toile thermocollante sur les chutes de tissu. Décalquer et agrandir le modèle page 93. Reporter et découper les différentes parties du clown ainsi qu'un cercle de 20 cm de diamètre (sur le coton jaune). Monter le clown sur le cercle et fixer chaque pièce en mettant un point de colle pour tissu.

2 Pour calculer le métrage nécessaire pour la housse du classeur, mesurer la hauteur puis, pour la longueur, ajouter les dimensions de la face, du dos, du côté et des deux parties intérieures. Ajouter 2,5 cm aux dimensions obtenues et couper le coton. Le doubler de toile thermocollante pour le solidifier. Fixer au fer. Faire un ourlet sur deux petits côtés du tissu.

3 Placer le tissu sur le classeur pour prendre les repères des plis. Placer et coller le cercle jaune du clown. Enlever le tissu du classeur et ourler chaque partie du clown avec deux brins de fil mouliné coordonné. Broder le visage du clown au passé plat et les étoiles au point lancé. Retourner la housse et l'épingler endroit contre endroit suivant les repères puis piquer à la machine à 1 cm du bord.

4 Retourner la housse sur l'endroit et l'enfiler sur le classeur. Coudre les gros pompons rouges en haut et en bas et coller les petits pompons bleus sur l'habit du clown. Faire un nœud papillon dans le tissu rouge et le fixer sur le clown avec un point de colle.

Le roi des animaux

1 Plier chaque pièce de tissu en deux, endroit contre endroit. Sur le tissu jaune citron, décalquer et reporter le corps et la tête du lion (voir page 95). Sur le tissu jaune d'or, reproduire la crinière.

2 Piquer à la machine sur le tracé en laissant à chaque fois une ouverture. Puis couper à 1 cm à l'extérieur de la couture et cranter les angles de chaque pièce.

3 Retourner chacune des pièces, les garnir de bourre puis fermer l'ouverture par une couture à points glissés. Coudre la crinière sur le corps, puis coudre la tête.

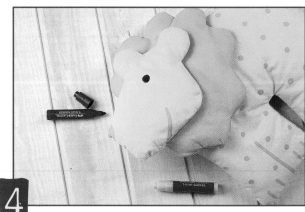

4 Avec le feutre jaune, dessiner le museau et les pattes puis décorer l'animal en faisant des petits pois. Dessiner l'œil avec le feutre bleu. Bien repasser à fer chaud pendant 5 mn pour fixer le feutre.
Réaliser les autres modèles (âne, ours, éléphant, voir page 95) selon le même principe.

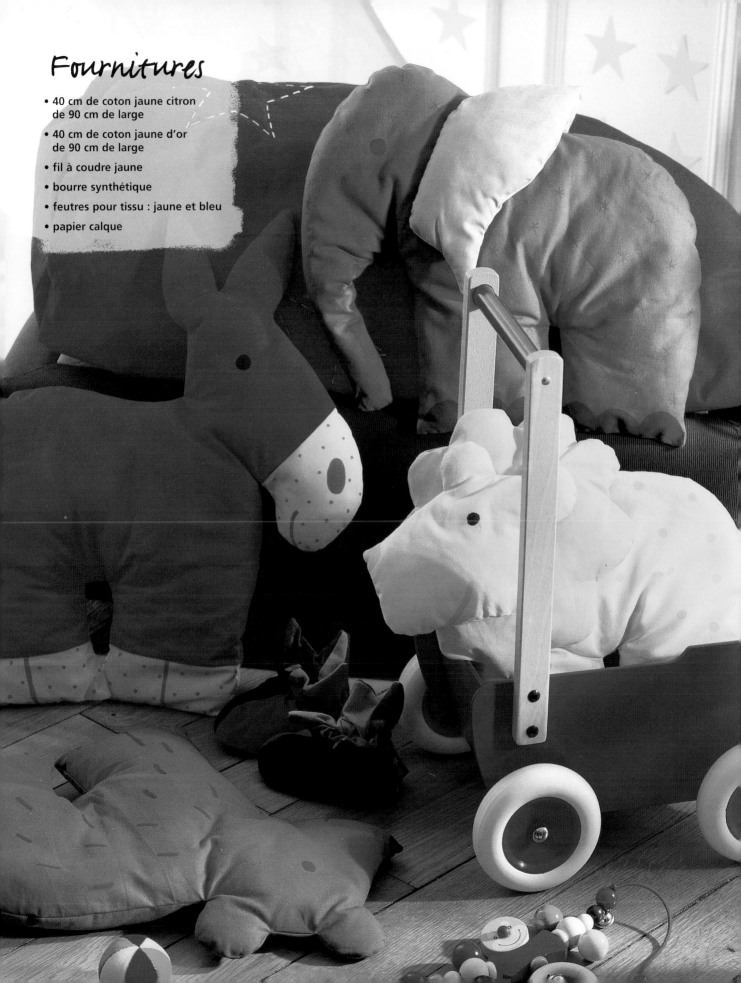

Fournitures

- 40 cm de coton jaune citron de 90 cm de large
- 40 cm de coton jaune d'or de 90 cm de large
- fil à coudre jaune
- bourre synthétique
- feutres pour tissu : jaune et bleu
- papier calque

Fournitures

- 1 rectangle de coton bleu de 98 x 105 cm
- 1 rectangle de coton jaune de 98 x 105 cm
- 1 carré de coton jaune de 33 cm de côté
- 1 rectangle de molleton de 96 x 105 cm
- fil à coudre jaune
- 1 m de biais jaune largeur standard
- 2 cordelettes bleues de 1 m de long
- coton perlé jaune
- 6 petits pompons bleus

Sacs à malice

1 Placer les deux rectangles de coton endroit contre endroit et surfiler. Tracer une ligne horizontale à 14 cm du bord le plus large sur le coton jaune puis reproduire 8 fois le feston à l'aide du gabarit (voir page 93). Piquer à la machine en suivant bien le tracé et faire ensuite une couture sur les deux hauteurs du tissu à 1 cm du bord.

2 Découper le tissu en laissant une marge de 1 cm pour le rentré puis couper les pointes à 2 mm et les angles rentrants. Retourner le tissu et repasser. Reproduire les festons sur le molleton et découper suivant le tracé. Placer le molleton à l'intérieur du tissu. Repasser et coudre à 1 cm du bord du bas du tissu pour maintenir le molleton.

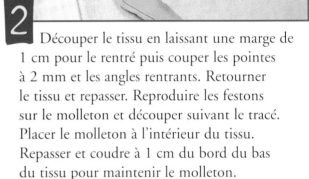

3 Couper deux bandes de biais de 42 cm de long et faire un double rentré de 5 mm de chaque coté des biais. Tracer une ligne horizontale sur le coton bleu à 55 cm du bas et épingler le biais à 5 cm du bord de chaque hauteur. Surfiler puis piquer le biais de chaque côté, à 2 mm du bord. Épingler les deux hauteurs endroit contre endroit et piquer à 5 mm du bord. Pour le fond, découper un cercle de 32 cm de diamètre dans le carré de coton jaune.

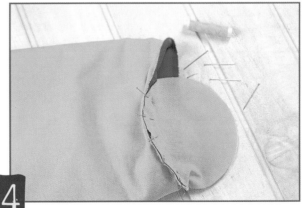

4 Épingler le cercle au sac, endroit contre endroit. Bâtir puis piquer à 1 cm du bord. Faire une seconde couture au point de bourdon pour que le tissu ne s'effiloche pas. Retourner le sac, passer une cordelette sous le biais et faire un nœud à chaque extrémité. Passer la seconde cordelette dans le sens inverse et la nouer de même (pour fermer, tirer sur les deux cordelettes en même temps). Broder des étoiles au point lancé et coudre les petits pompons au bout des festons.

Combinaison mutine

Préparation

Décalquer soigneusement le patron fourni en fin d'ouvrage. Épingler les différentes pièces sur l'envers du tissu. Tracer les contours à la craie et couper (les coutures de 7 mm sont comprises). Reporter sur le tissu les lettres A, B, C, D, E, F et G indiquées sur le patron. Cranter aux repères. À chaque étape, se reporter au patron pour ne pas faire d'erreur. *NB : les mots en italique et certaines difficultés sont expliqués page 86.*

Assemblage du corsage : Assembler les épaules dos et devant, endroit contre endroit, puis piquer (voir photo n° 4 page 36). *Surjeter* puis repasser. Monter la manche sur le vêtement à plat, piquer en faisant correspondre le repère A sur les coutures d'épaules (voir photo n° 5 page 38). Surjeter l'emmanchure puis le bas des manches et le bord des *parementures* dos.

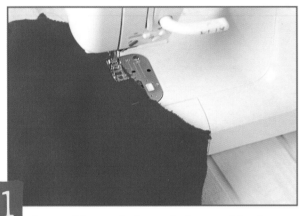

1 **Assemblage du bas de la combinaison :** Assembler les *fourches* devant, endroit contre endroit, bâtir et piquer. Surjeter en prenant toutes les épaisseurs. Surjeter les parementures dos. Assembler les fourches dos et piquer jusqu'à la découpe.

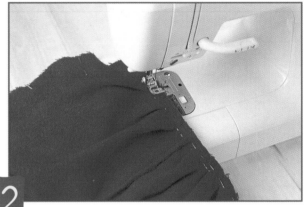

2 Surjeter en prenant toutes les épaisseurs puis repasser ces coutures. Former les trois plis de la taille en les couchant vers la fourche (voir repères sur le patron). Épingler et piquer tout le long de la taille.

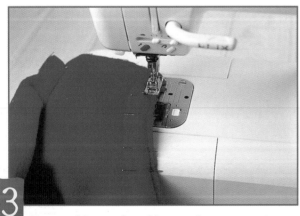

3 **Assemblage du vêtement :** Repérer le milieu et poser le devant du bas de la combinaison sur le devant du corsage, endroit contre endroit, puis piquer. Faire de même pour le dos. Surjeter la taille devant et dos en prenant toutes les épaisseurs.

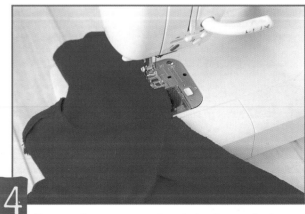

4 Fermer les coutures de côté, piquer du bas de la manche jusqu'au bas du vêtement en faisant correspondre les coutures de manche ainsi que la taille. Surjeter en prenant toutes les épaisseurs. Puis surjeter le bas de jambe.

Fournitures

- 75 cm de lainage rouge en 140 de large
- 20 cm de coton à carreaux rouge et blanc en 140 de large
- 10 x 10 cm de piqué de coton blanc
- 10 cm de galon rouge de 5 mm de large
- 60 cm de croquet blanc
- 26 cm de bande de pressions ou de Velcro
- 4 boutons
- papier spécial patron

Combinaison mutine

5 Plier le bas de la manche au cran B, envers contre envers, puis repasser. Maintenir cet ourlet par une piqûre dans le surjet. Faire de même pour le bas des jambes, mais en pliant au cran C.

6 **Patte entrejambe :** Plier la patte en deux, endroit contre endroit, piquer les extrémités, retourner puis repasser.

7 Poser la patte sur le devant, endroit contre endroit, épingler, bâtir, piquer puis surjeter en prenant toutes les épaisseurs. Coucher la couture sur le vêtement, faire une *piqûre nervure* de 1 mm. Répéter la même opération pour le dos.

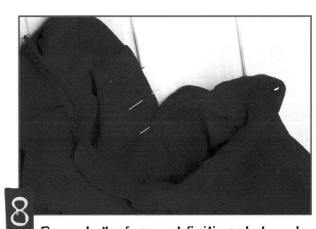

8 **Pose de l'enforme et finition du bas de la parementure :** Assembler les *enformes* encolure dos et devant, endroit contre endroit, et piquer la partie épaule. Surjeter en prenant toutes les épaisseurs puis repasser. Plier la *parementure* dos au cran D, endroit contre endroit, et poser l'enforme. Piquer l'encolure, dégager puis retourner. Repasser afin que l'encolure ne dépasse pas sur l'endroit. Faire une surpiqûre de 5 mm tout autour de l'encolure.

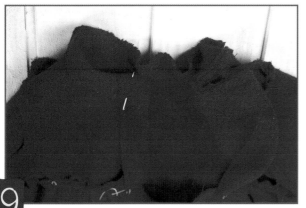

9 Plier le bas de la paramenture (du dos de la jambe) au cran E, endroit contre endroit. Piquer de la pliure à la couture de la fourche – c'est-à-dire sur une valeur de 1 cm – cranter et retourner. Plier la paramenture du dessous au cran F, envers contre envers. Superposer la paramenture du dessus sur celle du dessous et piquer au *point d'arrêt*.

10 **Collerette :** Couper 5 cm de croquet. Le plier en deux, l'épingler à la pointe de chaque pétale de dessous, la pliure dirigée vers le haut du pétale. Poser sur chaque pétale un autre pétale, endroit contre endroit. Piquer tout autour (sauf la base). Dégager, retourner puis repasser.

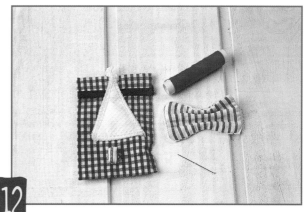

11 Se reporter au patron pour les plis. Superposer les pétales et les poser, assemblés, entre le biais plié en deux. Rabattre le biais sur l'endroit. Piquer le haut des pétales et le biais d'un bout à l'autre. Surjeter les extrémités.

Finitions : Faire les *boutonnières* aux endroits indiqués. Coudre les boutons et poser les pressions ou le Velcro sur la patte de l'entrejambe. Bien repasser pour finir.

12 **Poche :** Plier au cran G, envers contre envers, et piquer. Poser le ruban sur la piqûre et le piquer dessus. Poser le chapeau sur la poche. Glisser un croquet entre la pointe et la poche. Surjeter tout autour. Assembler le dessous et le dessus du nœud endroit contre endroit. Piquer en laissant 2 cm libres. Dégager les angles, retourner et fermer. Faire un passant de 1 cm de large. Le fixer sur la poche et y glisser le nœud. Poser la poche à l'endroit indiqué. Sur les trois côtés, faire un pli de 7 mm et piquer.

Les broderies

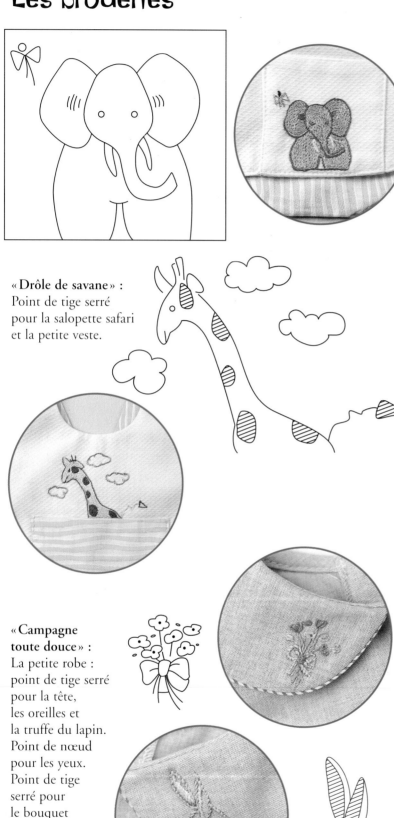

« **Drôle de savane** » :
Point de tige serré
pour la salopette safari
et la petite veste.

« **Campagne
toute douce** » :
La petite robe :
point de tige serré
pour la tête,
les oreilles et
la truffe du lapin.
Point de nœud
pour les yeux.
Point de tige
serré pour
le bouquet
de fleurs.

Les points de broderie

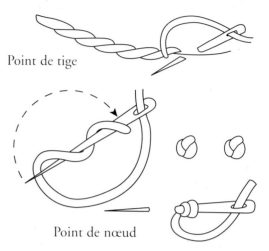

Point de tige

Point de nœud

Termes de couture

Boutonnière : calculer d'abord la longueur
de la boutonnière en fonction du bouton.
Tracer sur le tissu l'encombrement de
la boutonnière. Piquer à la machine aux points
prévus pour les boutonnières. Inciser la fente
(elle doit avoir 2 mm de plus que le diamètre
d'un bouton plat).

Enforme : parmenture ayant la forme de la partie
à doubler.

Fourche : milieu dos ou devant d'une culotte qui
part de la taille et va vers l'entrejambe.

Paramenture : terme qui désigne soit une patte
de propreté, que l'on forme en repliant le tissu
(patte de boutonnage, bas d'une manche,
d'une culotte…), soit un morceau de tissu
identique au vêtement, coupé à part et utilisé
pour doubler une partie du vêtement
(par exemple l'encolure). La paramenture
est assemblée et piquée au bord de la pièce
à doubler, puis retournée vers l'intérieur
du vêtement et invisible sur l'endroit.
Elle permet une finition propre et solide.

Piqûre nervure : piqûre machine à points serrés.

Point d'arrêt : point avant puis arrière fait
à la machine pour arrêter solidement la couture.

Rempli : partie d'étoffe que l'on maintient
repliée pour y faire une couture.

Surjet : point zigzag fait à la machine pour éviter
que le tissu ne s'effiloche.

Mesures des tricots

Veste grand froid

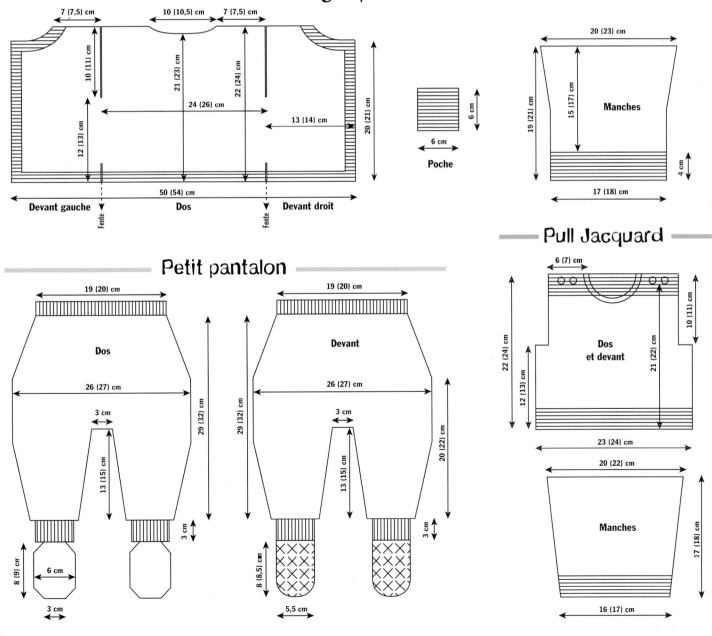

27 (28) cm

12 (13) cm

26 (29) cm

14 (16) cm

Dos

32 (33) cm

3 cm

23 (24) cm

22 (23) cm

Manches

Revers

5 cm

11 (12) cm

12 (13) cm

26 (29) cm

14 (16) cm

1/2 Devant

21 (23) cm

21 (22) cm

Cardigan printanier

7 (7,5) cm

10 (10,5) cm

7 (7,5) cm

10 (11) cm

21 (23) cm

22 (24) cm

24 (26) cm

13 (14) cm

20 (21) cm

12 (13) cm

50 (54) cm

Devant gauche   Fente   Dos   Fente   Devant droit

6 cm

6 cm

Poche

20 (23) cm

19 (21) cm

15 (17) cm

Manches

4 cm

17 (18) cm

Petit pantalon

19 (20) cm

Dos

26 (27) cm

3 cm

29 (32) cm

13 (15) cm

3 cm

8 (9) cm

6 cm

3 cm

19 (20) cm

Devant

26 (27) cm

3 cm

29 (32) cm

13 (15) cm

20 (22) cm

3 cm

8 (8,5) cm

5,5 cm

Pull Jacquard

6 (7) cm

22 (24) cm

12 (13) cm

10 (11) cm

Dos
et devant

21 (22) cm

23 (24) cm

20 (22) cm

Manches

17 (18) cm

16 (17) cm

Gabarits «Oursons très câlins» à agrandir à 200 %

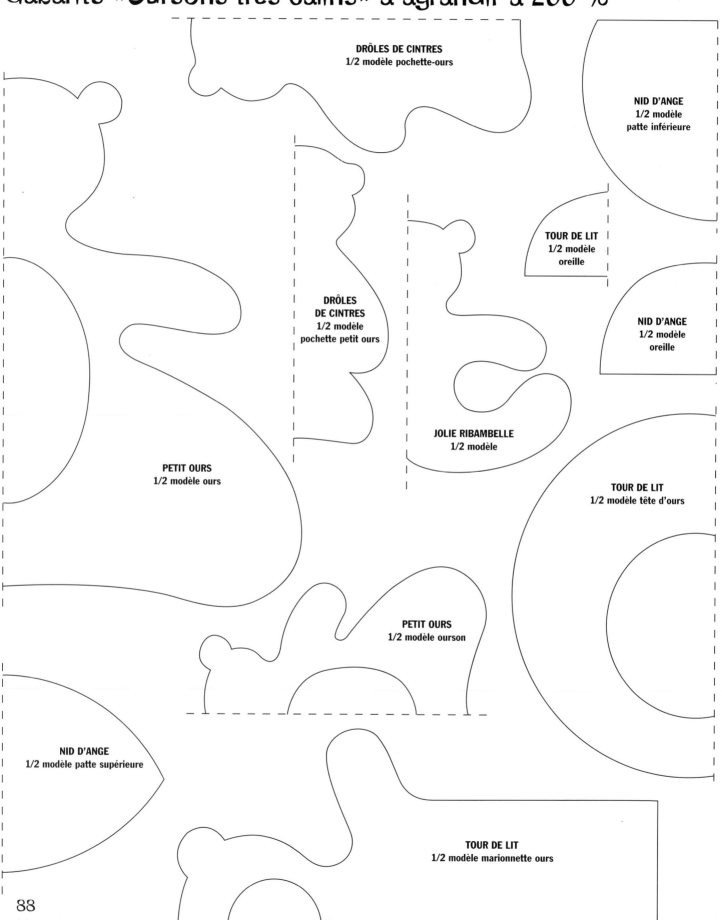

DRÔLES DE CINTRES
1/2 modèle pochette-ours

NID D'ANGE
1/2 modèle
patte inférieure

TOUR DE LIT
1/2 modèle
oreille

**DRÔLES
DE CINTRES**
1/2 modèle
pochette petit ours

NID D'ANGE
1/2 modèle
oreille

JOLIE RIBAMBELLE
1/2 modèle

PETIT OURS
1/2 modèle ours

TOUR DE LIT
1/2 modèle tête d'ours

PETIT OURS
1/2 modèle ourson

NID D'ANGE
1/2 modèle patte supérieure

TOUR DE LIT
1/2 modèle marionnette ours

88

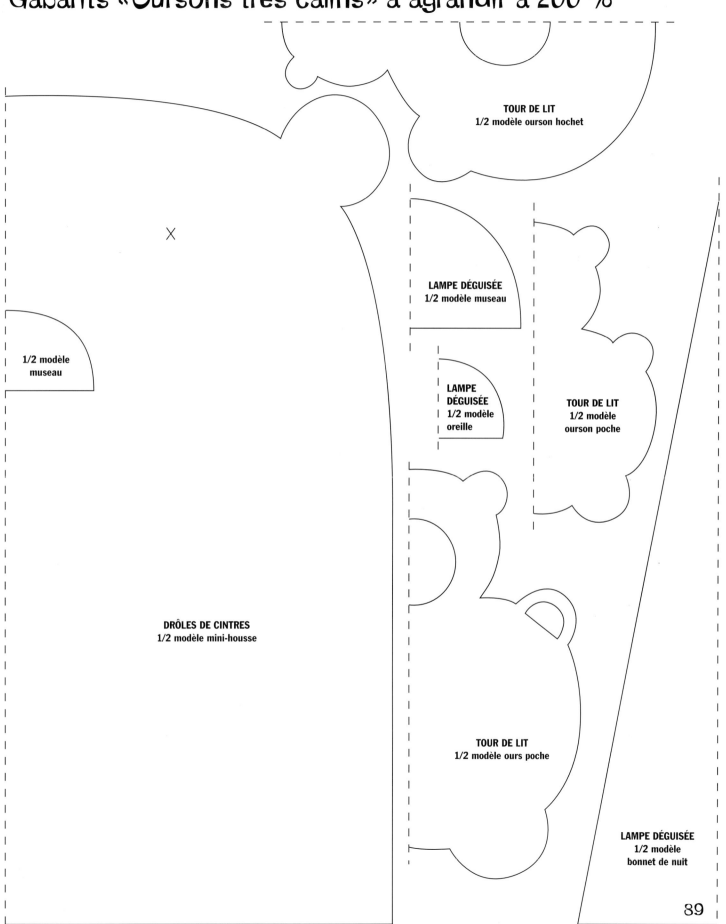

TOUR DE LIT
1/2 modèle ourson hochet

LAMPE DÉGUISÉE
1/2 modèle museau

1/2 modèle
museau

LAMPE
DÉGUISÉE
1/2 modèle
oreille

TOUR DE LIT
1/2 modèle
ourson poche

DRÔLES DE CINTRES
1/2 modèle mini-housse

TOUR DE LIT
1/2 modèle ours poche

LAMPE DÉGUISÉE
1/2 modèle
bonnet de nuit

MINI-ARMOIRE
modèle poule

PARAVENT CHAMPÊTRE
modèle nuages

COMMODE AUX
TULIPES
modèle tulipe

PARAVENT CHAMPÊTRE
modèles lapins

Gabarits «Campagne toute douce» à agrandir à 200 %

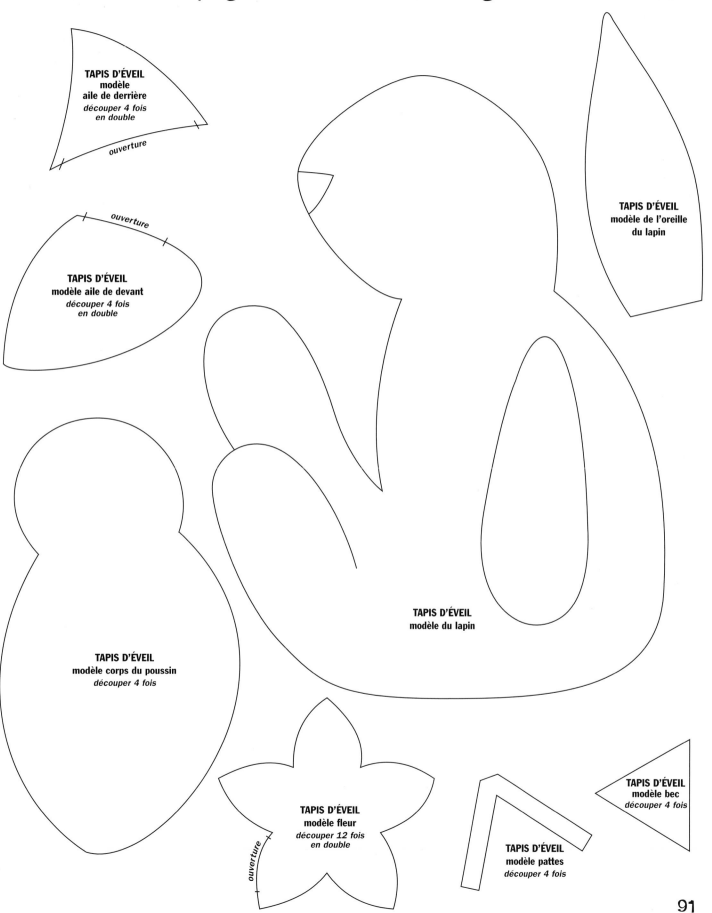

TAPIS D'ÉVEIL
modèle
aile de derrière
*découper 4 fois
en double*

ouverture

ouverture

TAPIS D'ÉVEIL
modèle aile de devant
*découper 4 fois
en double*

TAPIS D'ÉVEIL
modèle de l'oreille
du lapin

TAPIS D'ÉVEIL
modèle du lapin

TAPIS D'ÉVEIL
modèle corps du poussin
découper 4 fois

ouverture

TAPIS D'ÉVEIL
modèle fleur
*découper 12 fois
en double*

TAPIS D'ÉVEIL
modèle bec
découper 4 fois

TAPIS D'ÉVEIL
modèle pattes
découper 4 fois

Gabarits «Drôle de savane» à agrandir à 200 %

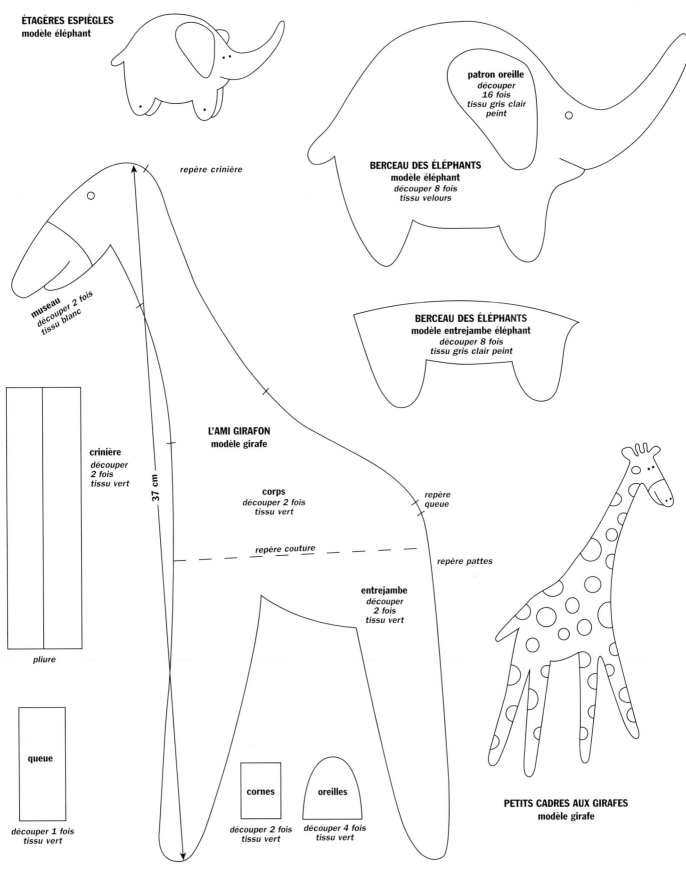

ÉTAGÈRES ESPIÈGLES
modèle éléphant

repère crinière

patron oreille
*découper
16 fois
tissu gris clair
peint*

BERCEAU DES ÉLÉPHANTS
modèle éléphant
*découper 8 fois
tissu velours*

BERCEAU DES ÉLÉPHANTS
modèle entrejambe éléphant
*découper 8 fois
tissu gris clair peint*

museau
*découper 2 fois
tissu blanc*

crinière
*découper
2 fois
tissu vert*

37 cm

L'AMI GIRAFON
modèle girafe

corps
*découper 2 fois
tissu vert*

*repère
queue*

repère couture

repère pattes

entrejambe
*découper
2 fois
tissu vert*

pliure

queue

*découper 1 fois
tissu vert*

cornes

*découper 2 fois
tissu vert*

oreilles

*découper 4 fois
tissu vert*

PETITS CADRES AUX GIRAFES
modèle girafe

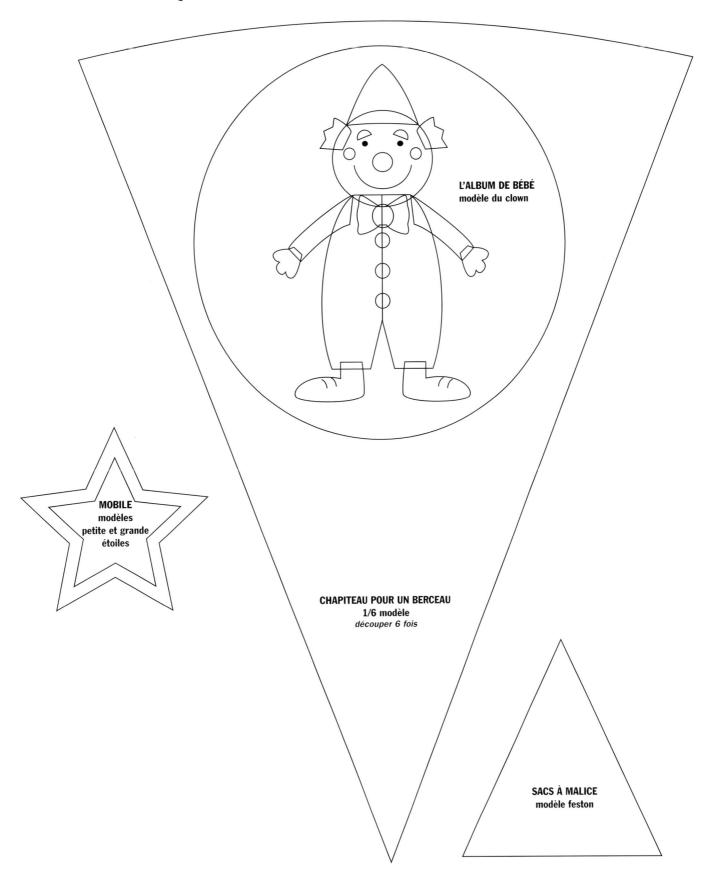

L'ALBUM DE BÉBÉ
modèle du clown

MOBILE
modèles
petite et grande
étoiles

CHAPITEAU POUR UN BERCEAU
1/6 modèle
découper 6 fois

SACS À MALICE
modèle feston

CLOWN RIGOLO
modèle
découper chaque
élément 2 fois

Gabarits «Cirque en fête» à agrandir à 500 %

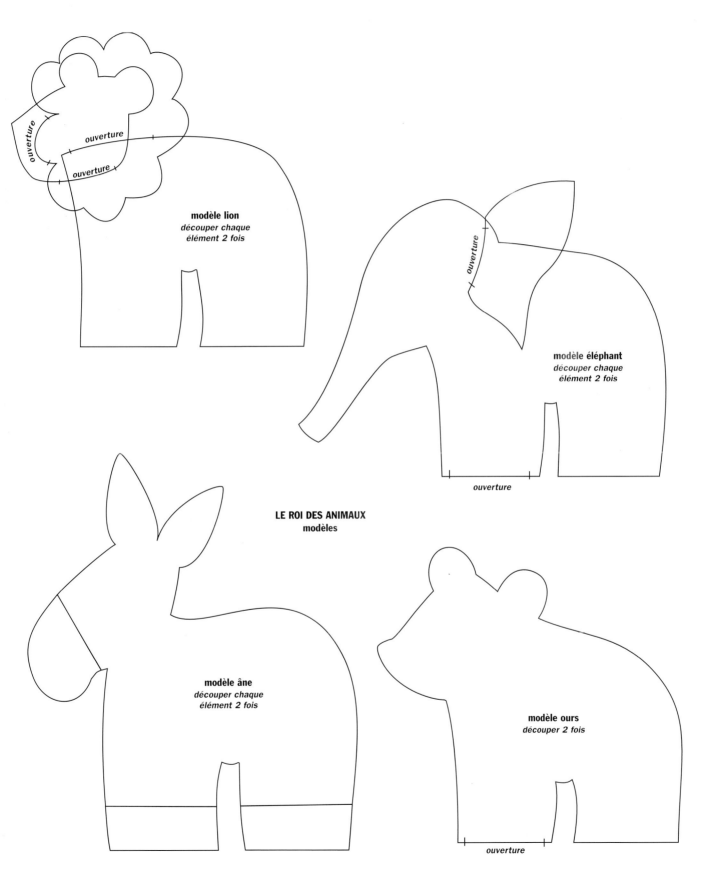

ouverture
ouverture
ouverture

modèle lion
*découper chaque
élément 2 fois*

ouverture

modèle éléphant
*découper chaque
élément 2 fois*

ouverture

LE ROI DES ANIMAUX
modèles

modèle âne
*découper chaque
élément 2 fois*

modèle ours
découper 2 fois

ouverture

ONT PARTICIPÉ À CET OUVRAGE

Céline Markovic (pages 6 à 17 et page 32)
Céline Dupuy (pages 48 à 59 et page 35)
Natacha Seret (pages 70 à 81 et page 31)
Michèle Grill (pages 18 à 25 ; page 28 ; pages 36 à 45 et pages 82 à 85)

REMERCIEMENTS

L'éditeur et les auteurs remercient les sociétés et les magasins suivants pour leur contribution à la réalisation des ouvrages :

Rougier et Plé
9 magasins en France : Paris, Champlan/Longjumeau, Nanterre, Neuilly-sur-Marne, Nantes, Lille, Lyon, Aubagne, Bordeaux.
Renseignements : 01 65 54 70 00
Vente par correspondance : 01 64 54 70 00
Minitel : 3615 Rougier et Plé
Internet : www.rougieretple.fr

Bouchara
1, rue Lafayette
75009 Paris
Tél. : 01 42 80 66 95

Marabu France SARL
16/20, rue Marcel-Dassault
93141 Bondy Cedex
Tél. : 01 48 02 73 73

Designers Guild
10, rue Saint-Nicolas
75012 Paris
Tél. : 01 44 67 80 78

Singer
43, rue Pergolèse
75116 Paris
Tél. : 01 45 02 14 40

Nous remercions également les magasins et les marques qui ont contribué à donner du charme à la composition de nos photos d'ambiance et d'ouvrages :

"Oursons très câlins"
Drap : Petit Descamps
Chariot et ours : Pain d'épice
Serviette : Jalla

"Campagne toute douce"
Jouets et ours : Pain d'épice
Linge de corps et parfum de bébé : Petit Bateau
Lambris au sol : GPL
Boutis au mur : David Olivier

"Drôle de savane"
Peluches, jouets et couverture à pois : Apache
Chaise, cubes en bois et lit : Ikéa

"Cirque en fête"
Lit, étagère et housse, panneau mural, linge brodé et cintres : Apache
Petits jouets en bois et en velours, marionnettes : Pain d'épice

Apache
Liste des points de vente au 01 58 71 20 00

Pain d'épice
29, passage Jouffroy
75009 Paris
Tél. : 01 47 70 08 68

Ikéa
Liste des points de vente au 01 69 11 16 16

Petit Bateau
Liste des points de vente au 01 44 76 93 93

GPL
Liste des points de vente au 05 58 04 40 40

David Olivier
Liste des points de vente au 01 48 40 03 03

Petit Descamps
Liste des points de vente au 03 20 10 51 71

Jalla
Liste des points de vente au 01 53 32 27 32